Avant-propos

Et maintenant, que va dire tante Tessa ?

Tori ouvrit le robinet et régla la température. Puis elle se mit à arroser Bagel.

Alors que l'eau pénétrait son épais pelage, le chien semblait prêt à bondir hors de la pièce. Mais Tori le tenait fermement par le collier.

– Brave bête ! répétait-elle. Tu vas être beau !

Il restait là, tremblant, tandis qu'elle faisait mousser le shampooing. Et soudain...

– Fais gaffe ! lança Nichelle.

Mais il était trop tard. Dans un mouvement brusque, Bagel s'ébroua violemment.

– Aaah ! hurla Tori quand l'eau savonneuse l'éclaboussa, elle, et tout ce qui se trouvait dans la pièce.

– Oooh ! gronda Nichelle quand un gros nuage de mousse s'écrasa sur son front.

– Hum ! fit une voix sur le seuil.

Tante Tessa se tenait à la porte de la salle de bains...

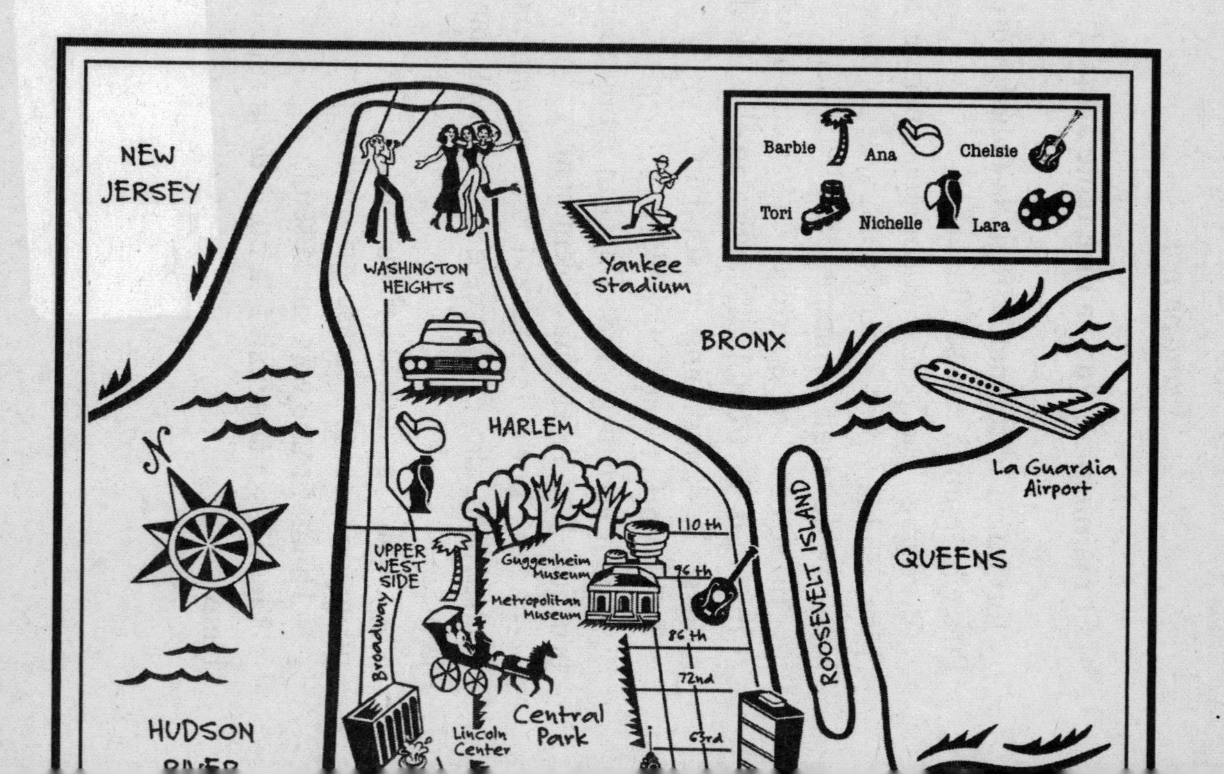
Barbie
Ana
Chelsie
Tori
Nichelle
Lara
NEW
JERSEY
WASHINGTON
HEIGHTS
Yankee
Stadium
BRONX
HARLEM
La Guardia
Airport
ROOSEVELT ISLAND
QUEENS
110th
96th
86th
72nd
63rd
UPPER
WEST
SIDE
Broadway
Guggenheim
Museum
Metropolitan
Museum
Central
Park
Lincoln
Center
HUDSON

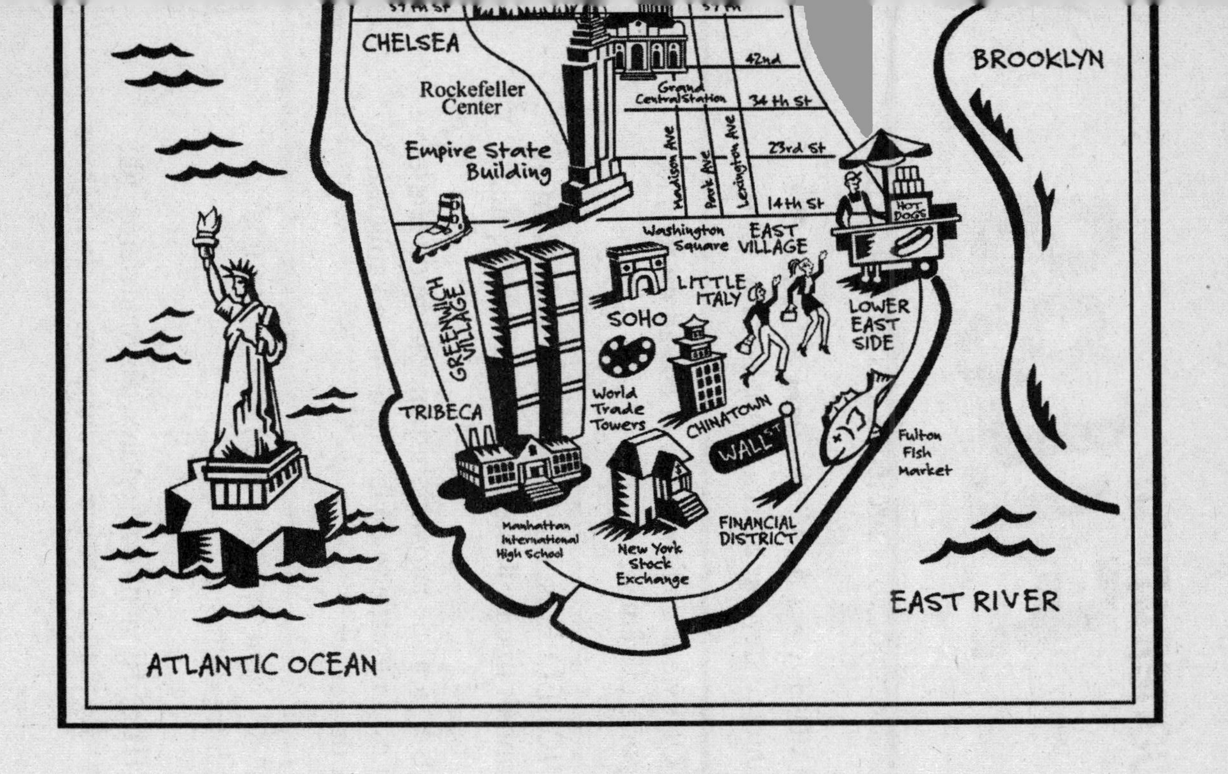
CHELSEA
Rockefeller Center
Empire State Building
42nd
Grand Central Station
34th St
23rd St
Madison Ave
Park Ave
Lexington Ave
14th St
BROOKLYN
HOT DOGS
Washington Square
EAST VILLAGE
LITTLE ITALY
SOHO
GREENWICH VILLAGE
LOWER EAST SIDE
World Trade Towers
TRIBECA
CHINATOWN
WALL ST
Fulton Fish Market
Manhattan International High School
New York Stock Exchange
FINANCIAL DISTRICT
EAST RIVER
ATLANTIC OCEAN

GÉNÉRATI*N FILLES™

Laissez-moi vous présenter des filles branchées...

BARBIE vient de Malibu, en Californie. Elle aimerait devenir actrice et réaliser des films.

TORI vient de l'Australie et elle adore tous les sports extrêmes.

NICHELLE est une adolescente de Harlem qui connaît une brillante carrière de mannequin.

ANA vient de la partie hispanophone de Harlem et est une vedette de la natation, de l'athlétisme et du soccer.

LARA vient de Paris, en France, et est une peintre de talent.

CHELSIE vient de Londres, en Angleterre. Elle excelle dans l'écriture de chansons et de poèmes.

LE MYSTÈRE DES PORTES CLOSES

Melanie Stewart

Adaptation d'Alain Jost

Le présent livre est un ouvrage de fiction. Les noms, les personnages, les lieux et les situations sont le fruit de l'imagination de l'auteur ou sont utilisés de façon fictive. Toute ressemblance avec des événements, des lieux ou des personnes, vivantes ou décédées, tient de la coïncidence.

GOLDEN BOOK®

Golden Books Publishing Company, Inc.
New York, NY 10106

Titre original : Bending the Rules

Édition française publiée par LES PRESSES D'OR®
7875, Louis-H.-Lafontaine, Bureau 105, Anjou (Québec) Canada H1K 4E4

Imprimé au Canada. Isbn : 1-552253-46-5

Clique-nous @ www.lespressesdor.com

Chapitre 1

Défense de patiner dans le hall !

Le hall d'entrée était froid et sombre comme une vaste grotte, et ses patins à roues alignées filaient à la vitesse de l'éclair sur le marbre, en produisant un petit bruit : *slic, slic, slic*...

Comme d'habitude, le concierge piqua sa crise. Il s'appelait Louie. Le type parfait du nerveux, grand, mince et toujours prêt à bondir. Il leva le bras vers elle, décidé à lui servir son sermon traditionnel : « Il est interdit de patiner dans le hall ! »

– Oh, du calme, Louie. Ne vous faites pas de bile ! lança joyeusement Tori, avec son accent australien, en passant près de lui.

Elle survola les trois petites marches et passa la porte.

Ensuite, ce fut la lumière éclatante du soleil. Dehors, enfin ! Tori Burns leva les bras vers le ciel bleu et lança un cri de joie. New York ! Elle n'arrivait toujours pas à croire qu'elle se trouvait là. Ses parents avaient pensé qu'il fallait l'envoyer aux antipodes de son Australie natale. Et comme ils avaient eu raison ! Tori adorait cette ville gigantesque, bourdonnante, bouillonnante. New York était un endroit excessif, et elle, une fille excessive.

Il est vrai que le vieil appartement délabré de sa tante Tessa, dans Greenwich Village, n'engendrait pas la gaieté. Tessa elle-même n'était pas précisément marrante, avec sa bouche perpétuellement arquée vers le bas, marquée de deux plis profonds. Elle travaillait au Metropolitan Museum of Art, à restaurer laborieusement de vieux cadres de tableaux. Elle ne plaisantait pas à son travail, ni chez elle où elle avait édicté de nombreuses règles : ne fais pas trop de bruit, n'arpente pas inutilement l'appartement, ne chante pas trop fort en faisant la vaisselle...

Et surtout, n'entre jamais, jamais, jamais dans les trois pièces situées au fond du long vestibule obscur. Tori ne savait pas ce qui pouvait s'y trouver et ce sujet était absolument tabou pour tante Tessa. Tori était prévenue que, si elle faisait ne fût-ce qu'entrouvrir une de ces portes, elle serait renvoyée en Australie sur-le-champ. Bien sûr, elle brûlait de curiosité. Quel était donc ce grand mystère ?

Tori prit Bank Street, se dirigea vers l'est et longea trois pâtés de maisons. Perdue dans ses pensées en se hâtant vers l'école, elle vira à gauche et dévala la piste cyclable qui longe l'Hudson River. Ses cheveux blonds flottaient derrière elle en deux longues couettes. Elle avait noué sa veste de satin bleu autour de sa taille pour se sentir plus à l'aise.

Un type en planche à roulettes avec son singe apprivoisé sur l'épaule lui adressa un signe, comme il le faisait chaque matin quand ils se croisaient. Il portait un short en cuir, comme toujours. Elle lui rendit son salut, cria « Bonjour, l'ami ! » et sourit. Le singe, ce matin, tenait une sucette rouge.

Tori s'immobilisa bientôt devant les marches de son école. Elle s'assit et chaussa rapidement ses baskets. La journée était vraiment splendide. On distinguait parfaitement la statue de la Liberté qui resplendissait au soleil. Des étincelles dansaient sur l'eau du port.

Un flot d'élèves s'engouffrait dans la Manhattan International High School pour la première heure de cours. Quelques-uns saluèrent Tori pendant qu'elle laçait ses chaussures. Les garçons du duo « Pantalon », portant leurs planches à roulettes, marmonnèrent quelque chose et elle leur fit un signe de la main. Tori et ses amies leur donnaient ce nom à cause de leurs pantalons flottants, qu'ils portaient très bas sur les hanches. Elle n'arrivait pas à se rappeler qui était Evan et qui était Andy. Personne ne le pouvait. Mais Tori les trouvait aussi mignons l'un que l'autre.

On voyait tant de jeunes ici ! Son ancien collège à Melbourne comptait trois cents élèves. Il devait y en avoir trois mille à la M.I.H.S. Tori adorait voir ces élèves de toutes tailles, formes ou couleurs de l'arc-en-ciel. Le mauvais côté des choses, c'était de se sentir parfois comme un poisson minuscule et insignifiant dans l'immensité de l'océan. Mais le côté positif l'emportait : dans une multitude aussi variée, n'importe qui pouvait se faire des amis. Tori n'était là que depuis trois semaines et elle avait déjà de bonnes copines : Barbie Roberts, Chelsie Peterson, Lara Morelli-Strauss, Nichelle Watson et Ana Suarez. Et d'autres semblaient prêtes à s'y ajouter bientôt. La plupart étaient, comme elle, des élèves de seconde.

À l'intérieur, c'était la folie habituelle. Tout le monde se massait au pied de l'escalier roulant ou grimpait les marches quatre à quatre. Comme les cours commençaient dans cinq minutes, elle avait juste le temps de jeter un coup d'œil sous la dalle descellée, au cinquième étage.

– Hello, Tori !

Tori se retourna et vit Barbie qui pressait le pas pour la rejoindre.

– Ouf ! soupira Barbie. Je craignais d'arriver en retard. Il y a eu une coupure de courant dans le métro et on est restés là dans le noir pendant dix minutes. C'était effrayant. Je crois que je ne m'habituerai jamais à cette sensation.

Barbie n'était pas originaire de New York, elle non plus. Elle venait de Californie et n'était pas encore accoutumée à cette ville folle. Elle faisait pourtant de son mieux. Barbie cherchait toujours le meilleur aspect de chacun et de chaque chose ; c'est pourquoi Tori l'aimait bien.

Elles étaient pourtant aussi différentes que faire se peut. Mais, malgré ça, elle ne pouvait s'empêcher d'aimer Barbie.

– Tu veux courir jusqu'au cinquième étage avec moi ? demanda Tori. J'ai juste le temps de passer à la dalle descellée avant d'aller à mon cours d'anglais. Après ça, j'ai un cours de français.

– Je t'accompagne, dit Barbie. J'ai justement un cours au cinquième. Histoire en première heure... Pouah.

Elle fit la grimace.

– Dommage que tu aies monsieur Budge, dit Tori. Je suis sûre que tu aimerais l'histoire si le prof était plus marrant.

– Ce n'est pas lui, le problème, c'est moi. L'histoire ne m'intéresse pas, voilà tout.

– Je suis convaincue que ce n'est pas vrai. Il faut seulement que quelqu'un te donne le goût de l'histoire. Et Budge n'est pas le type qu'il faut.

Tout le monde à l'école connaissait monsieur Budge. Ce n'était pas un méchant homme ; juste un peu cinglé. Il était très intelligent, mais aussi maniaque de la propreté. Il ne supportait pas qu'on le touche. Tous ses élèves et tous les autres enseignants connaissaient son « cercle privé ». Il s'agissait d'un cercle imaginaire qui interdisait à quiconque de l'approcher à moins de cinquante centimètres. Dès qu'on franchissait la limite, il criait : « Cercle privé, cercle privé ! » Pendant son cours, il parlait d'une voix traînante et écrivait des dates au tableau. Mais il n'aimait pas qu'on lui pose des questions. Ce n'était vraiment pas le genre de professeur à vous inoculer le virus de l'histoire !

Tori et Barbie prirent l'escalier roulant jusqu'au cinquième et filèrent vers la niche où se trouvait la dalle descellée. La M.I.H.S. était un établissement tout neuf qu'on n'avait pas pu achever complètement avant l'ouverture. Tori et Lara avaient remarqué dès la deuxième semaine qu'une dalle se soulevait. C'était l'endroit parfait pour échanger des messages pendant les journées de cours.

Tori souleva le carreau. Il cachait un bout de papier sur lequel Tori reconnut immédiatement la grande écriture artistique de Lara.

« *Tori*, avait-elle écrit au feutre rouge, *peux-tu me rejoindre au Eatz à l'heure du déjeuner ? Je dois te parler de quelque chose.* »

Eatz était l'endroit où les élèves se rendaient

tous entre ou après les cours. Ce n'était qu'à un coin de rue de l'école. Tori, pour sa part, y trouvait la nourriture épouvantable, mais les propriétaires ne rechignaient pas trop à voir la salle envahie de collégiens chahuteurs.

Tori et Lara étaient contraintes d'aller manger au premier service, à la troisième heure, et le faisaient souvent ensemble. Dîner à la troisième heure, cela voulait dire à 10 h 50 du matin. En rentrant chez elles le soir, elles étaient absolument affamées.

La foule dans le hall s'éclaircissait. L'heure était venue de courir en classe.

– À plus tard ! dit Tori. Bonne chance avec Budge. Peut-être que, pour une fois, il sera brillant.

– Peut-être ! répéta Barbie, toujours optimiste.

Elle savait pourtant que les chances étaient minces.

Tori pensait au message de Lara en allant au cours d'anglais. De quoi voulait-elle lui parler ?

Chapitre 2

Ici, on dit : « Tomber en amour avec lui. »

Un cours d'anglais intéressant, un cours de français barbant (rien que des choses apprises en Australie l'année précédente), et il était déjà l'heure de déjeuner. Tori descendit la rue vers le casse-croûte Eatz, cherchant Lara en chemin. Elles n'avaient que quarante minutes pour manger avant de regagner l'école pour la quatrième heure. Pas le temps de lambiner, donc.

Lara était déja installée dans un des compartiments orange, picorant dans un plat de frites et guettant l'arrivée de Tori. Ses cheveux noirs, qui lui arrivaient à la taille, étaient rassemblés aujourd'hui en une seule tresse. Tori remarqua qu'elle portait un pull crocheté multicolore sur un tee-shirt rose. Tori adorait ce genre de vêtements, même si elle n'en portait jamais elle-même.

Tori adressa un signe à Bill, le cuisinier, qui se tenait derrière la fenêtre par laquelle il passait les plats aux serveuses. Bill était Australien, lui aussi, et Tori aimait toujours voir quelqu'un du pays.

– Salut, chérie ! lança Bill.

Tori se glissa sur le siège en face de Lara, fit une boule de sa veste et la jeta sur la chaise voisine. Elle chipa aussitôt une frite dans l'assiette de Lara.

– Quoi de neuf ? demanda-t-elle.

Lara semblait un peu perturbée, ce qui était inhabituel. D'ordinaire, elle avait l'air aussi calme et froide qu'un lac de montagne. Tori avait mis un bout de temps à l'apprécier, parce qu'elles étaient différentes sur ce point. Tori, elle, avait un tempérament plutôt volcanique. Mais elles se ressemblaient plus que Tori ne l'avait d'abord pensé. Lara, comme Tori, suivait son propre chemin. Elle se fichait pas mal de ce que les gens pensaient de ses chaussures, de ses goûts en matière d'art ou de ses idées. Elle se contentait d'être elle-même. Voilà ce qui plaisait à Tori.

Cette assurance était d'ailleurs une chance, car Lara avait connu une vie assez dingue et mouvementée qui aurait pu la perturber. Son père était Allemand, sa mère Italienne. Elle avait été élevée principalement à Paris. Maintenant, elle se trouvait à New York et se fondait dans une autre vie sans vouloir en perdre le moindre instant.

Tori sourit en pensant à leur rencontre. Une sérieuse méprise les avait opposées dès le premier jour de classe. Heureusement, Barbie avait désamorcé la situation avant qu'elle ne dégénère.

Lara poussa une frite dans la sauce au fromage mais ne la mangea pas. Elle lança un regard sombre à Tori.

– Je crois que je suis un peu dans le cirage, dit-elle avec son accent franco-Dieu-sait-quoi.

Voilà ce que Tori aimait à la M.I.H.S. : ici, une fille française faisait face à une Australienne ; à la table suivante, il y avait deux garçons africains. Génial !

– Toi, dans le cirage ? Je ne pensais pas que ça pouvait t'arriver. Qu'est-ce qui te tracasse ?

Tori avala en une bouchée deux des frites de Lara.

– Si tu as envie d'une frite, ne te gêne pas ! dit Lara en souriant.

– Pas de problème, dit Tori en lui en raflant deux de plus.

– Tu connais mon prof d'histoire de l'art ? demanda Lara.

– Tu veux dire, celui aux cheveux noirs qui est beau à couper le souffle ?

Lara hocha la tête d'un air abattu.

– C'est lui, soupira-t-elle. Beau à couper le souffle.

– C'est un bon prof, pas vrai ? Tu me l'as dit. Alors, où est le problème ?

– Oh oui, il est génial comme prof. Un esprit brillant. Il comprend l'art mieux que n'importe qui. Quand il te pose une question, il écoute attentivement ton opinion. Comme s'il n'y avait personne d'autre en classe.

– Oh ! fit Tori en se frappant le front du plat de la main. J'ai saisi le problème... Tu es tombée en amour avec lui.

– Tombée ?

– C'est ce qu'on dit en Amérique : tomber amoureux de quelqu'un. C'est très embêtant de tomber amoureuse d'un de ses profs !

– Je sais, c'est ridicule. Je me sens comme une gamine stupide.

Que monsieur Harris soit professeur

d'histoire de l'art n'arrangeait rien. L'art était plus qu'une matière pour Lara. Même si elle était incroyablement douée pour toutes les disciplines, elle ne vivait que pour l'art.

– Viens faire du *skate* avec moi cet après-midi, dit Tori. Ils ont construit de nouvelles rampes incroyables. Le duo « Pantalon » sera là. Et ils sont si mignons, même si on ne sait pas qui est qui...

Lara éclata de rire.

– Je ne crois pas que ce soit vraiment mon genre, dit-elle. Je préfère les garçons un peu plus... comment dit-on ? Sophistiqués ! Au moins, ils pourraient se peigner, non ? D'ailleurs, j'ai promis à ma mère de rentrer à la maison. Tu veux m'accompagner ?

Tori adorait aller chez Lara. Elle habitait un grand appartement à Soho, un quartier au sud de Houston Street. On appelait ce genre d'appartement un loft, parce qu'il consistait en un seul grand espace, sans murs intérieurs. Soho était un quartier très chouette, pas loin de Greenwich Village où Tori habitait. Regorgeant de galeries d'art, Soho abritait de vastes magasins très clairs aux planchers polis, où pendaient quelques robes à mille dollars. Et aussi des établissements au nom étrange dont on se demandait à quoi ils rimaient. Il y avait des surprises à chaque coin de rue. Vraiment chouette !

– Tu sais quoi ? dit Tori. Passons d'abord chez moi – je veux dire chez ma tante Tessa – pour déposer mes livres. Je trimbale mon vieux bouquin de biologie. Je dois l'échanger contre un autre qui ne soit pas couvert de notes à chaque page.

– Je connais ça ! dit Lara avec sympathie. On croirait que quelqu'un a mâché mon livre d'anglais. J'ai déjà assez de problèmes en anglais sans devoir me servir d'un livre qu'on a grignoté !

Elle poussa les pommes frites vers Tori, sans en avoir mangé une seule.

– Tu veux les finir ? proposa-t-elle. Je n'ai pas faim.

– Mauvais signe ! diagnostiqua Tori.

Elle essaya une autre tactique.

– Tu as vu ce garçon fantastique au cours d'histoire ? Je suis sûr qu'il en pince pour toi. J'aimerais qu'il me jette un regard, mais il ne voit que toi. Il doit être attiré par les filles qui ont tout pour elles. Pas comme moi, qui ai du pour et du contre !

Lara soupira, sans même réaliser que Tori tentait de la faire rire.

– Je n'ai rien remarqué ! murmura-t-elle.

Elle ne remarquait personne d'autre que monsieur Harris, c'était clair.

Il était temps de partir. Lara se leva.

– OK, on se verra après les cours, dit-elle.

– Oh, juste une chose, dit Tori en marchant vers l'école. Tu n'es jamais venue chez ma tante. Donc, tu ne connais pas le règlement. Si elle est là, il faudra se montrer très, très discrètes, d'accord ? On ne peut pas la déranger.

– Compris, dit Lara. Elle est malade ?

– Non. Elle ne supporte pas d'avoir des jeunes dans les parages, c'est tout.

– C'est moche !

– Tu peux le dire. On se revoit cet *arvo*.

– Pardon ? fit Lara en clignant des yeux.

– Oh, excuse-moi, c'est de l'australien. On se revoit cet après-midi.

Tori regarda Lara prendre l'escalier pour aller au cours d'histoire de l'art. Elle se demanda si sa tante Tessa serait à la maison et quel effet cela ferait d'amener Lara chez elle.

Chapitre 3

Lara passe l'examen haut la main !

Lara attendait à l'entrée du tunnel à 15 h 05. Le tunnel, emprunté uniquement par les élèves de la M.I.H.S., reliait l'école à l'arrêt de bus situé de l'autre côté de West Street.

– On marche ou tu préfères prendre le bus ? demanda Lara.

– Prenons le bus, répondit Tori. Je suis désossée. L'heure de gym m'a mise sur les genoux. Le softball, c'est stupide, si tu veux mon avis. Je préfère un *skate-board* et une pente bien raide, plutôt que de courir après une balle.

– Désossée ? s'exclama Lara, désorientée une fois de plus par les expressions australiennes de Tori.

Elle avait suffisamment de problèmes avec l'anglais de New York, prononcé trop vite.

– Oh ! Je veux dire fatiguée. Claquée. Fourbue. À plat. Vannée. Éreintée...

– Je vois, dit Lara.

Elles prirent le bus et en descendirent à un coin de rue de l'appartement de tante Tessa.

– J'aime ce quartier, dit Lara. La rue où vit ta tante est vraiment chouette.

Tori l'aimait aussi. C'était un mélange d'immeubles et de maisons en brique dont on se demandait qui pouvait y habiter. Un des passe-temps favoris de Tori consistait à se promener dans la rue le soir en regardant par les fenêtres éclairées dont les rideaux n'étaient pas tirés, pour voir comment les gens vivaient. Beaucoup de murs étaient couverts de livres. Tante Tessa aussi avait beaucoup de livres. Tori aimait ça. Chez ses parents, il devait y en avoir six en tout et pour tout.

Elle n'avait pas vraiment de problèmes avec ses parents. Ils voulaient juste qu'elle soit une gentille fille qui, plus tard, travaillerait dans un magasin ou quelque chose dans le genre, comme sa mère. Ou dans un bureau, comme son père. Si elle voulait vraiment autre chose, elle pouvait devenir institutrice. Dans sa famille, on ne faisait pas de longues études et on ne grandissait pas pour aller vivre loin de chez soi. Mais Tori était différente, et ses parents avaient pensé qu'il valait mieux l'envoyer à la M.I.H.S.

Louie, le concierge, était toujours à son poste dans le hall quand Tori et Lara entrèrent. Il parut très soulagé de voir Lara se déplacer sur ses pieds !

Elles attendirent l'ascenseur pendant un bout de temps. Quand il arriva, il en sortit une femme très raffinée qui portait dans ses bras un petit chien à poil long. L'animal avait les dents du bas saillantes.

– Wouf, wouf ! jappa-t-il à l'adresse de Tori.

– Wouf, wouf, wouf ! répliqua-t-elle.

La dame lui jeta un regard glacial. Tori lui répondit par un sourire aimable.

Les filles montèrent dans la cabine. Tori allait appuyer sur le 12 quand Louie accourut vers elle.

– J'ai du courrier ici... Je crois que c'est pour votre tante, dit-il. Le facteur l'a laissé à côté de la boîte parce qu'il n'en était pas sûr. Vous voulez bien le lui remettre ?

– Bien sûr, dit Tori.

Pendant que l'ascenseur montait, elle jeta un coup d'œil à l'enveloppe. Pas par indiscrétion, mais par simple curiosité. Elle savait si peu de choses sur sa tante...

L'enveloppe était adressé à « Madame Tessa Steinmetz ». Étrange. Le prénom était correct mais pas le nom de famille. Tante Tessa s'appelait Livingstone. C'était aussi le nom de jeune fille de la mère de Tori. Le numéro de l'appartement était exact, lui aussi. Dans le coin était écrite l'adresse de l'expéditeur : *Henry Abrams, galerie d'art Abrams, Madison Avenue.*

Tori prit sa clé et ouvrit la porte aussi silencieusement que possible. C'était seulement la deuxième fois qu'elle amenait quelqu'un à l'appartement. La première fois, sa tante était absente. Tante Tessa ne lui avait jamais interdit de le faire, mais Tori se sentait un peu mal à l'aise malgré tout. Pourtant, si elle devait vivre là un an, il faudrait bien qu'elle y amène des camarades de temps à autre !

Tante Tessa était à la cuisine, en train de se servir une tasse de thé.

– Tante Tessa, dit Tori, je te présente mon amie Lara. Elle ne restera qu'un moment. Après ça, nous partons chez elle.

– Bien, bien, fit tante Tessa en agitant la main.

Il lui restait un soupçon d'accent australien, mais si léger qu'on pouvait la croire Américaine.

– Tu vas bien, Lara ? ajouta-t-elle, sans donner l'impression de s'en soucier vraiment.

– Très bien, merci, madame ! répondit Lara. Merci de me recevoir. C'est vraiment magnifique chez vous.

« Mince, se dit Tori, les jeunes Européens ont vraiment de bonnes manières. »

Elle était impressionnée. Les Australiens se montraient plus relax, comme les Américains.

Tante Tessa sourit légèrement. Son appartement était vraiment très beau, même si peu de gens avaient l'occasion de s'en rendre compte. De temps à autre, un collègue du musée venait prendre une tasse de café. Mais peu de visiteurs pouvaient admirer les splendides objets qui emplissaient les lieux.

Tessa elle-même était encore très belle. Tout le monde se rendait compte, en la voyant, qu'elle avait dû être ravissante dans sa jeunesse. Elle avait les pommettes hautes, une peau parfaite, des yeux bleu clair et des cheveux blancs ramenés sur le sommet de la tête. Elle portait habituellement de superbes bijoux en argent et turquoise : colliers ouvragés et longues boucles d'oreilles.

– Désires-tu faire une petite visite ? demanda tante Tessa.

Tori était stupéfaite. Jamais elle n'avait vu Tessa se montrer aussi aimable avec quelqu'un. Lara devait lui faire bonne impression. Les bonnes manières ! Très utiles ! Tori devrait s'en souvenir.

– J'en serais ravie ! répondit Lara.

Elles se rendirent dans la salle à manger.

– Ce tapis est d'origine navajo, dit Tessa en montrant la belle carpette à motifs géométriques sous la table en bois poli.

– Il doit dater de la fin du XIXe, dit Lara en se penchant pour l'examiner de plus près.

Wow ! Tori ignorait que Lara était aussi calée sur les tapis de l'Ouest américain. Quelle fille étonnante !

Visiblement, tante Tessa était impressionnée, elle aussi.

– Tu as raison, dit-elle en souriant. Du moins, c'est ce que je pense aussi. Comment t'y connais-tu en tapis navajo ?

Tori n'avait jamais vu un sourire aussi

spontané sur le visage de sa tante.

– Je m'intéresse à tout ce qui touche à l'art, expliqua Lara. Ma mère est créatrice de mode. Tout ce qui est beau l'attire. Je crois que j'ai hérité d'elle mon goût pour l'art.

Elle traversa la pièce pour regarder un grand tableau acccroché au mur opposé. Il représentait un homme, très beau, en chemise blanche à col ouvert, les manches relevées. Il portait une petite barbe noire et avait des yeux sombres et tristes, très pénétrants. Lara le regarda longtemps, sans rien dire.

– Cette toile est magnifique ! conclut-elle enfin. Très spéciale. Pouvez-vous me dire qui l'a peinte ?

– Le peintre est tout à fait oublié aujourd'hui, dit tante Tessa.

Sur ces mots, elle tourna les talons et s'éloigna. Tori et Lara échangèrent un regard et la suivirent au salon.

– *Bonne nuit ! Bonne nuit !*

Lara fit un bond en l'air en entendant ces mots résonner dans la pièce. Tori pouffa de rire.

– Ce n'est que Waldo ! dit-elle. Le perroquet de tante Tessa... Elle l'a depuis un million d'années. Je ne sais pas pourquoi il répète toujours ça.

Les filles se dirigèrent vers la grande cage de Waldo. Il ébouriffa ses plumes vertes et luisantes et leur lança un regard perçant.

– Bonne nuit, Ernest ! dit-il soudain de sa voix grinçante.

– Un nommé Ernest vit ici ? demanda Lara.

– Non, je ne sais pas qui c'est ! dit Tori en haussant les épaules. Il dit ça de temps en temps.

Tante Tessa était occupée à épousseter une statue de femme dansant, dans un coin. Il était clair qu'elle ne fournirait pas d'information sur les paroles énigmatiques de Waldo

– Oh, tante Tessa, j'allais oublier... dit Tori en tendant la lettre à sa tante.

Elle venait de se rappeler qu'elle la tenait en main. Tessa fronça les sourcils en voyant l'adresse.

– Elle n'est pas pour moi, dit-elle rapidement. Je ne sais pas pourquoi on me la remet. Reprends-la avec toi et rends-la au concierge, s'il te plaît.

– Bien sûr ! dit Tori, un peu surprise.

Comme elle devait déposer son livre de

biologie dans sa chambre, elle y emmena Lara. C'était une charmante chambre d'ami, vaste et ensoleillée, et garnie de meubles rustiques dans le style du Sud-Ouest américain. Il y avait aussi une carpette navajo sur le sol et une housse tissée à la main sur l'ordinateur d'occasion que Tori avait acheté à son arrivée. Elle essayait de garder la pièce bien en ordre, mais ça lui demandait de gros efforts. Chez elle, elle avait toujours laissé tomber ses vêtements par terre. Ainsi, elle les avait sous la main quand elle voulait les porter. Pour elle, c'était parfait. Mais elle ne pensait pas pouvoir se permettre ça chez sa tante. Elle essayait donc de penser à tout pendre sur des cintres ; un geste qui ne lui venait pas naturellement !

– Je trouve que ta tante est très gentille, murmura Lara une fois la porte fermée.

– Elle a été très bien avec toi ! dit Tori. C'était étonnant.

– Il faut peut-être qu'elle te connaisse un peu mieux. Après tout, elle a été seule pendant très longtemps, d'après ce que tu m'as dit.

– Tu as sans doute raison. Ce doit être dur de voir une jeune débarquer chez toi avec ses bagages, sa musique et tout le reste.

Spécialement si ce n'est pas ton enfant.

– Elle est la sœur de ta mère ou de ton père ?

– C'est la sœur aînée de ma mère. Je ne la connaissais pas auparavant. Il y a longtemps qu'elle vit aux États-Unis. Je crois qu'elle a eu une sorte de brouille avec le reste de la famille, mais personne ne le mentionne. Je sais, par sa façon de parler d'elle, que ma mère aime beaucoup tante Tessa. Mais elles sont très différentes. Difficile de s'imaginer qu'elles sont de la même famille.

La conception que la mère de Tori avait de l'art, c'était les petites figurines de bergers et de bergères qu'elle exposait dans sa vitrine à bibelots.

– C'est bien que tu aies une chance d'apprendre à la connaître, dit Lara.

– Sans doute, acquiesça Tori.

Elle regarda par la fenêtre pendant un moment avant d'ajouter :

– Seulement, je crois qu'elle ne m'aime pas beaucoup.

****

Quand Tori rentra, ce soir-là, elle s'assit à son bureau. Dans le tiroir du dessus, il y avait une pile de cartes postales achetées à son arrivée. Elle les regarda toutes et choisit celle qui offrait une vue de l'Empire State Building la nuit. Elle semblait plus présentable que celle du chien portant des bottes et un imperméable ! Tori réfléchit un long moment à ce qu'elle allait écrire et soupira.

Chers Maman et Papa,

Je suis contente et je me porte bien. Vous aussi, j'espère. Tante Tessa est très gentille avec moi. J'essaie de surveiller mes manières. Ma nouvelle école me plaît beaucoup et New York est une ville très intéressante. Comment allez-vous tous les deux ? Et comment va Bungee ? Il me manque beaucoup, même si ce n'est qu'un chat. Donnez-lui un bisou de ma part.

Je vous embrasse,

Tori

Chapitre 4

Bagel

Tori n'était pas le genre de fille à se lamenter sur les épisodes pénibles de son existence. Elle ne le faisait pas en Australie et ne le ferait certainement pas ici non plus. Elle aimait trop la vie. Il y avait bien trop à faire, trop de nouvelles choses à apprendre, trop de bons moments à vivre. Si les bons moments étaient plutôt rares chez tante Tessa, elle les trouverait certainement ailleurs.

L'école était formidable. Tous les profs n'étaient pas extraordinaires, mais il y en avait suffisamment de compétents pour pouvoir apprendre beaucoup de choses. Chaque jour, elle s'étonnait de découvrir combien une école américaine était différente d'une école australienne, tout en étant semblable à la fois !

Elle adorait ses nouvelles amies. Il lui semblait déjà connaître Barbie, Lara, Nichelle, Ana et Chelsie depuis toujours. Elle savait que ses amies la soutiendraient contre vents et marées et elle en ferait de même pour elles. Jamais Tori n'avait eu un groupe d'amies aussi différentes l'une de l'autre. Elle aimait ça. Ainsi, les choses ne devenaient jamais ennuyeuses.

La meilleure partie de la journée, c'était celle qu'elle passait au bureau du journal, local 712. Il n'avait pas de fenêtre et n'était pas très grand, mais regorgeait de jeunes, d'ordinateurs et de rires presque à chaque instant. Tori y courait à chacune de ses heures de liberté et, bien sûr, quasiment chaque jour après les cours.

Parce qu'elle aimait tant se rendre au local 712 et qu'elle était si douée pour l'informatique, elle était peu à peu devenue la responsable du site Internet de l'école. Elle apprenait sur le tas, mais le fonctionnement du réseau la fascinait. Tori voulait créer le meilleur site d'école du monde. Elle retravaillait inlassablement le graphisme, pour le rendre plus clair et plus lumineux. Elle introduisait des tas de liaisons avec des sites de sports extrêmes, juste pour s'amuser. Et elle ajoutait sans cesse de nouveaux clichés, pris par les photographes de l'équipe. La plupart des photos étaient dues à Barbie. Tout le monde savait déjà qu'elle était la meilleure photographe de l'école. Meilleure même que les aînés.

Après les cours, il y avait toujours un tas de devoirs à faire. Les profs de la M.I.H.S. avaient la réputation d'en donner beaucoup. Tori et la plupart de ses camarades faisaient leurs devoirs ensemble, entre amis. C'était plus gai comme ça. Elle passait donc beaucoup de temps chez ses copines, surtout chez Barbie et Lara. C'était plus simple de se déplacer que d'inviter des gens chez tante Tessa.

Heureusement, Tori était plutôt rapide pour faire ses travaux. Il lui restait du temps pour pratiquer les sports qu'elle aimait tant. Elle patinait, elle faisait de la planche à roulettes. Elle disputait de furieuses parties de basket-ball contre un mur au parc, avec des amies de l'école. Et quand elle voulait méditer, elle se rendait au rocher d'escalade au Chelsea Piers, pas loin de chez elle. Elle grimpait tout en haut et y restait accrochée un bout de temps pour réfléchir tranquillement.

Voilà où elle se trouvait ce samedi après-midi, peu après la visite de Lara. Elle pensait à sa tante, ce qui lui arrivait souvent ces derniers temps. Elle pendait là, face à la paroi rocheuse, et essayait de mettre de l'ordre dans ses idées. Elle rêvait de mieux comprendre sa tante. Tessa n'était pas méchante avec elle ; elle semblait juste totalement fermée et indifférente. Par exemple, il n'était pas possible de parler à cœur ouvert avec elle. Par ailleurs, elle ignorait tout de sa vie.

« Pourquoi collectionne-t-elle tous ces objets de l'Ouest ? se demandait Tori. A-t-elle vécu là-bas ? Ou a-t-elle toujours habité New York ? Pourquoi entretient-elle si peu de contacts avec sa famille ? Et pourquoi s'est-elle refermée comme une huître quand Lara l'a questionnée au sujet du tableau ? »

– Oh, là-haut ! Excusez-moi...

Perdue dans ses pensées, Tori ne remarqua pas la voix montant vers elle.

– Excusez-moi ! reprit la voix.

Tori abaissa enfin le regard. L'employée du club, qui tenait toujours ses cordes, semblait assez irritée.

– D'autres gens ont besoin des installations, vous savez ! lança-t-elle.

– Oh, pardon ! fit Tori en descendant par le côté du rocher. J'étais un peu distraite.

Elle toucha souplement le sol.

– Ça m'en a tout l'air ! grommela la femme.

Tori essuya la résine crayeuse de ses mains, s'excusa à nouveau, enfila ses chaussures de ville et rentra chez elle. Au coin de la 15e Rue et de la 9e Avenue, un grincement de freins l'arracha à ses pensées.

– Hé, bouge-toi, idiot ! cria quelqu'un par la fenêtre d'un camion.

Tori regarda vers la rue. Il y avait là une petite boule de poils noirs aux pattes brunes et à la poitrine blanche. Le chien ne devait pas avoir plus de six mois. Il se tenait maintenant au milieu de la 15e Rue, trop effrayé pour bouger. Les voitures s'arrêtaient derrière lui en klaxonnant.

Elle s'approcha de l'animal lentement, prudemment.

– Hé, petit gars ! dit-elle doucement. Ou gamine, je n'en sais trop rien... Viens par ici me dire bonjour !

Le petit chien restait paralysé par la peur. Tori s'accroupit sur le trottoir. Elle savait que, si elle s'approchait du chien, il s'enfuirait.

– Où est ton maître, petit ? Hein ? N'aie pas

peur, tu peux venir près de moi.

L'animal la regardait d'un air soupçonneux. Elle palpa la poche de sa veste et trouva le reste d'un bagel, une sorte de petit pain en forme d'anneau, qu'elle avait acheté à midi.

– Je parie que tu as faim ! dit-elle au chien. J'ai quelque chose pour toi. Viens le chercher !

Vingt voitures klaxonnaient maintenant derrière le chien.

– Du calme, têtes de pioche ! lança-t-elle en utilisant une insulte de chez elle. Attendez une seconde ! Vous ne voyez pas qu'il y a une opération de sauvetage en cours ?

Elle s'accroupit à nouveau.

– Il va falloir en finir, dit-elle gentiment. Viens ici prendre ce bagel. Tu sais que tu en as envie.

Très lentement, le chien s'avança vers elle. Tori n'osait pas bouger d'un cheveu de peur de l'effrayer. Quelqu'un cria, et le chien se figea à nouveau.

– Viens, supplia Tori. Tu sais que tu peux le faire. Brave chien !

L'animal continuait à avancer à petits pas. Enfin, il arriva assez près pour qu'elle puisse agripper son collier.

– Désolé, petit ! dit-elle en le tirant sur le

trottoir. Je dois t'empêcher de filer.

Le chien s'assit en frissonnant et elle le gratta derrière les oreilles, tout en tenant fermement son collier de cuir rouge. Il ne portait pas de médaille ni rien qui permette d'identifier son maître. Tout sale qu'il était, le pelage du chien restait merveilleusement soyeux. Il lui fallait seulement un bain et un bon coup de brosse. Ce chien devait traîner dans la rue depuis longtemps.

Finalement, il cessa de trembler, leva les yeux et lui lècha le menton. Tori sourit.

– Et voilà ! dit-elle. Nous sommes copains, pas vrai ?

« Et maintenant, au sujet de ce chien... » se demanda Tori.

Elle l'avait tiré du trafic, mais après ? Elle ne pouvait pas l'abandonner là. Elle se sentait responsable de l'animal. Une dame portant une mallette passa près d'elle.

– Vous voulez un joli petit chien, madame ? lui demanda Tori.

La dame poursuivit son chemin sans même répondre.

– Et zut ! On croirait que je lui demande l'aumône ! marmonna Tori.

Une voiture de police blanche et bleue s'était

arrêtée à sa hauteur en attendant que le feu passe au vert. Le policier qui tenait le volant avait sa vitre baissée et son coude posé sur la portière.

– Excusez-moi, dit Tori. Vous ne voudriez pas ramener un joli chien chez vous ? Ou peut-être le garder au poste ?

Le policier sourit.

– Désolé, on ne peut pas avoir d'animaux au bureau. Et, à la maison, j'ai déjà deux chats. Tu l'as trouvé ?

– Il y a juste un instant. Connaissez-vous un endroit sympa où je pourrais le conduire pour qu'on l'adopte ?

– Il y a un endroit, dit le policier avec un sourire oblique. Mais ce n'est pas vraiment un endroit sympa.

Tori serra le chien contre elle dans un geste de protection.

– OK Merci ! fit-elle.

C'était exclu. Elle ne le conduirait pas à la fourrière. Lui ou elle ? Elle se pencha pour jeter un coup d'œil.

– Hum... On dirait que tu es un garçon ! conclut-elle.

Le chien la regarda en mendiant de façon pathétique un autre morceau de bagel.

– Voilà comment je vais t'appeler, dit-elle en le gratouillant derrière l'oreille. Bagel ! Voilà ton nom.

Il remua la queue.

Chapitre 5

Le bain de Bagel

– OK, Bagel. Il faudra bien que je te ramène à la maison, lui dit Tori. Dieu sait ce que tante Tessa va penser de toi. J'espère qu'elle aime les chiens.

Elle se redressa en tenant toujours son collier râpé.

– Qu'est-ce que nous allons utiliser comme laisse ? murmura-t-elle. Je ne peux pas rester pliée en deux pour tenir ton collier jusqu'à la maison. Et si je te lâche, tu risques de prendre la fuite.

Il agita à nouveau la queue. Tori jeta un coup d'œil autour d'elle, à la recherche de quelque chose, n'importe quoi, qui pourrait servir à l'attacher. Rien. Elle s'inspecta elle-même, à la recherche d'un accessoire. Rien. À vrai dire, si : il y avait la cordelette au bas de sa veste imperméable. Cela devrait faire l'affaire. Tori défit le gros nœud du bout et l'extirpa de la veste.

Bagel ne semblait pas savoir comment se comporter au bout d'une laisse. Il tirait à gauche et à droite, reniflant tout ce que son nez pouvait atteindre.

– Tu devras faire mieux que ça, dit Tori. Hé, tu m'arraches le bras !

Elle s'arrêta dans une épicerie à un carrefour pour acheter deux boîtes de nourriture pour chien. Foie et lard. « Il devrait aimer ça », pensa-t-elle. Elle vit en sortant du magasin qu'il levait la patte sur la borne d'incendie à laquelle elle l'avait attaché. Au moins, il paraissait habitué à faire ses besoins à l'extérieur. Dieu merci, c'était déjà un souci de moins.

Elle marcha vers l'est et tourna dans la 8e Avenue. À moins d'un coin de rue de là, elle aperçut soudain une silhouette familière – du moins, elle semblait familière vue de derrière. Elle prit le risque et appela :

– Nichelle !

Quatre personnes se tournèrent vers elle. Mais Tori n'était pas facilement embarrassée.

– Yo ! lança-t-elle, en utilisant une expression

new-yorkaise qui lui plaisait beaucoup. Nichelle, retourne-toi !

L'élégante et haute silhouette se retourna enfin. C'était bien Nichelle. Tori la rattrapa en quelques enjambées. Dès qu'elle fut à sa hauteur, elle remarqua le délicieux parfum de rose qui entourait toujours Nichelle.

– Que fais-tu par ici un samedi ? lui demanda Tori.

Elle savait que Nichelle vivait à l'autre bout de la ville, dans une superbe maison de briques rouges à Harlem. Elle s'y était déjà rendue à quelques reprises pour faire ses devoirs avec son amie.

– Je voulais faire un tour à ce fameux magasin de vêtements d'occasion sur la 13e Rue, dit Nichelle. J'ai vu un châle en soie dans la vitrine l'autre jour... Une merveille ! Avec des bouquets de roses et des franges de vingt centimètres. Pour seulement dix dollars ! Dès que je l'ai vu, j'ai su qu'il me le fallait.

Nichelle, avec ses talents de mannequin, avait le chic pour se constituer une tenue superbe avec presque rien. Tori, en revanche, n'aimait que les vêtements pratiques et résistants.

Nichelle baissa enfin les yeux.

– Seigneur, qu'est-ce que tu tiens là ? s'exclama-t-elle.

– La plupart des gens appellent ça un chien, ironisa Tori.

Bagel agita joyeusement la queue à l'adresse de Nichelle.

– Ouais, d'accord. Mais que vas-tu en faire ?

– Eh bien, je l'ai trouvé. Et je l'ai comme qui dirait sur les bras. Tu le veux ?

Nichelle secoua la tête.

– Ma mère est allergique à tout ce qui aboie ou miaule. Il ne me reste que ce qui croasse.

– Je crois que ma tante va croasser en voyant ce que je lui ramène ! dit Tori.

– Oh, oh ! fit Nichelle.

– Tu veux m'accompagner ? Ma tante n'osera pas m'assassiner s'il y a un témoin.

Nichelle réfléchit un instant.

– Je crois que c'est d'accord, dit-elle. Je n'ai pas beaucoup de devoirs ce week-end. Je peux rester un moment.

– Prépare tes meilleures manières, recommanda Tori.

Elle expliqua à Nichelle comment l'attitude de Lara avait conquis sa tante.

– Attends de voir mon style, dit Nichelle en

riant. Ma grand-mère ne badine pas avec le savoir-vivre. À deux ans, je disais déjà : « Oui, madame » et « Non, madame » !

– Mince ! s'exclama Tori. Quand je pense à dire merci pour le repas, j'ai l'impression d'avoir fait des prouesses.

Elles s'arrêtèrent à la boutique, mais le châle n'y était plus, à la grande déception de Nichelle. Quand elles entrèrent dans l'immeuble de tante Tessa, Tori aperçut Frank, l'autre portier. Il était petit et trapu, au contraire de Louie. Mais pour le reste, ils étaient pareils.

Bagel tirait furieusement sur sa laisse, tout excité d'entrer dans cet endroit nouveau et magnifique. Il entraîna Tori vers les jambes du concierge, qu'il renifla de bas en haut. L'homme recula.

– Mademoiselle, vous n'allez pas introduire ce chien ici, n'est-ce pas ? dit-il. Il... Il sent mauvais!

– Plus pour longtemps, répondit Tori. C'est un mâle et il s'appelle Bagel. Et, selon moi, il est bien plus sympa que tous ces petits toutous de luxe qu'on voit ici.

Le concierge poursuivit Tori et Nichelle d'un regard lourd de reproches tandis qu'elles s'éloignaient.

Tante Tessa n'était pas chez elle. Elle assistait sans doute à une déclamation publique de poèmes ; elle y allait souvent. Tori aurait aimé qu'elle l'invite à l'accompagner, mais elle n'osait pas le lui demander.

La première chose que fit Tori fut d'offrir un grand bol d'eau à Bagel.

– Je parie que tu meurs de soif ! dit-elle.

Bagel lapa avidement tout le contenu du bol.

– Tu devais avoir raison ! conclut Nichelle en riant.

Ensuite, Tori ouvrit une des boîtes. L'animal s'empiffra comme s'il n'avait jamais vu de nourriture de sa vie.

– Pauvre petit ! dit Tori, apitoyée.

Son repas terminé, il lui donna un coup de langue sous le menton comme pour la remercier. Elle s'accroupit pour le caresser. Quand elle le gratta derrière les oreilles, il se livra si totalement à cette sensation agréable que sa tête en était presque retournée.

– Tu as vraiment trouvé un chien qui sait se faire aimer, dit Nichelle.

Tori savait que son amie avait raison. Elle aimait déjà ce chien. Et ça, ce n'était pas bon.

Il était temps de passer aux choses sérieuses.

– Je n'en ai pas fini avec vous, monsieur ! dit Tori en se relevant. Vous allez passer dans la baignoire !

Elle l'entraîna, toujours avec la cordelette de sa veste, jusqu'à la salle de bains. Waldo s'éveilla à leur passage.

– Holà, holà ! lança-t-il en regardant le chien avec beaucoup d'intérêt.

Nichelle sursauta.

– Qui est-ce ? s'écria-t-elle.

– Oh, ce n'est que Waldo, le perroquet de tante Tessa, expliqua Tori. J'espère qu'il aime les chiens.

Avant d'entrer dans la salle de bains, Tori enfila une vieille tenue de jogging. Elle savait qu'elle ne serait pas sèche à la fin de l'opération.

– OK Bagel ! dit-elle aussi fermement qu'elle pouvait. Il est temps de te récurer.

Elle tapota la paroi émaillée et le chien sembla comprendre ce qu'elle voulait. Il sauta dans la baignoire et attendit ce qui allait suivre.

– C'est un petit futé, lança Nichelle depuis le coin le plus reculé de la pièce.

La baignoire était munie d'une pomme de douche montée sur un long tuyau métallique, ce qui allait rendre les choses plus faciles. Tori ouvrit l'eau et régla la température. Puis elle se mit à arroser Bagel.

Au fur et à mesure que l'eau pénétrait son épais pelage, il parut de plus en plus désespéré et de plus en plus nigaud. Il semblait prêt à bondir hors de la pièce, mais Tori le tenait fermement par le collier.

– Brave bête ! répétait-elle. Tu vas être beau !

Elle le frictionna avec le shampooing pour bébé qu'elle utilisait elle-même, en pensant qu'il ne serait pas trop irritant pour sa peau. Il restait là, tremblant, tandis qu'elle faisait mousser le savon. Et soudain...

– Fais gaffe ! lança Nichelle.

Mais il était trop tard. Dans un brusque mouvement de tout le corps, Bagel s'ébroua violemment.

– Aaah ! lança Tori tandis que l'eau savonneuse l'éclaboussait, elle et tout ce qui se trouvait dans la pièce : serviettes, lavabo, murs... Tout !

– Oh, ce Bagel, quelle espèce de... gronda Nichelle quand un gros nuage de mousse s'écrasa sur son front.

– Hum ! fit une voix sur le seuil.

Chapitre 6

Bagel se fait une amie

– Oh, oh !

Tante Tessa se tenait à la porte de la salle de bains, une pile de livres de la bibliothèque dans les bras. Elle ne disait rien, contemplant seulement la scène.

– Oh, tante Tessa... bredouilla Tori qui ne trouvait rien à dire tant les choses étaient évidentes.

– Bon après-midi ! dit tante Tessa.

Tori passa sa manche mouillée sur son front pour essuyer la mousse.

– Tante Tessa, je vais t'expliquer tout ça ! dit-elle en se demandant comment elle allait s'y prendre.

– Je t'en prie, vas-y ! dit sa tante.

Était-ce une impression, ou l'ombre d'un sourire flottait-il au coin de la bouche de tante Tessa ?

– Heu... D'abord, laisse-moi te présenter ma camarade d'école, Nichelle.

– Enchantée, madame, dit Nichelle.

– Et voudrais-tu me présenter ton autre ami ? demanda tante Tessa.

Quand Bagel vit que tante Tessa avait les yeux posés sur lui, il commença à agiter frénétiquement la queue, projetant plus de mousse encore.

– Voici... euh... Bagel ! dit Tori.

Soudain, ce nom lui sembla un peu ridicule.

– Je l'ai trouvé au milieu de la rue. Je... Je ne pouvais tout de même pas le laisser écraser par une voiture, n'est-ce pas ?

Tante Tessa soupira.

– Non. Je suppose que non.

Elle alla poser délicatement sa pile de livres sur une petite table du corridor, près de la porte de la salle de bains. Puis elle revint dans la pièce, se dirigea vers la baignoire, se pencha et tendit la main vers la patte de Bagel, qui répondit joyeusement à son geste.

– Comment vas-tu, Bagel ? dit-elle en agitant

solennellement sa patte. Si tu mâchonnes mes affaires ou lèves la patte sur mes tapis, je t'assassinerai. Ainsi que ta jeune maîtresse.

Bagel agita la queue comme si sa vie en dépendait, ce qui était probablement le cas.

Tori n'en croyait pas ses oreilles.

– Tu veux dire que je peux le garder ? demanda-t-elle avec impatience. Jusqu'à ce que je lui trouve un foyer, bien sûr.

– Je crois que oui, dit tante Tessa en s'essuyant les mains. On ne peut quand même pas le remettre à la rue. Et quant à la fourrière...

Elle frissonna.

– Mais écoute-moi bien. Ce chien est sous ta responsabilité. Tu le promèneras, tu le nourriras, tu joueras avec lui. Et s'il ronge quelque chose, tu en répondras. Avant d'avoir remboursé un de ces tapis, tu aurais sans doute mon âge. Compris ?

– Compris, dit Tori sans savoir si elle se sentait soulagée ou effrayée. Il a vraiment l'air d'un bon chien. Il est propre et tout.

– C'est un bon début, dit tante Tessa. Il restera dans ta chambre quand tu seras sortie. Et je te suggère d'enlever le tapis si tu ne veux pas passer tes plus belles années dans les dettes.

– Je le ferai, promit Tori. Je prendrai bien soin de lui.

– Bien ! fit tante Tessa.

Avec un signe de tête vers Nichelle, elle quitta la pièce.

Tori s'affaissa sur le sol.

– Ouf ! soupira-t-elle. J'ai bien cru qu'on était cuites !

– Mais nous sommes vivantes et Bagel aussi, dit Nichelle. On ferait bien de le rincer et de le sécher avant qu'il n'inonde complètement la pièce.

Après l'avoir frotté avec une serviette, elles finirent le travail au sèche-cheveux. Maintenant, il était vraiment mignon. On aurait presque dit qu'il souriait, dressé sur ses pattes et agitant la queue avec entrain. Son pelage était soyeux et ses dents, blanches et pointues. Ce n'était qu'un gosse, à l'échelle de vie des chiens.

On frappa brièvement à la porte et tante Tessa entra. Elle tenait à la main une laisse en cuir tressé joliment travaillée.

– J'ai retrouvé ça, dit-elle. Elle appartenait à un chien... que j'ai eu dans le temps.

Sa voix sembla s'animer légèrement comme elle prononçait ses mots. Mais avant que Tori puisse demander « Quel chien ? Quand ? », Tessa était partie en refermant la porte.

Tori et Nichelle échangèrent un regard perplexe.

– Merci, tante Tessa ! cria Tori.

Les filles attachèrent la laisse au collier, qui était bien plus propre maintenant, et emmenèrent le chien vers la chambre de Tori. Il reniflait sans cesse, le nez collé au sol.

Au fond du vestibule, Nichelle aperçut les trois portes fermées. Elle s'en approcha avant que Tori ne puisse l'arrêter.

– C'est quoi, ces pièces ? demanda-t-elle d'un ton curieux.

– Arrête ! cria Tori. N'entre pas là !

– Oh, pardon ! fit Nichelle. Qu'est-ce qu'il y a là-dedans ?

– Je n'en sais rien, chuchota Tori. Je n'ai pas le droit d'entrer. C'est un grand mystère.

– Oooh, chouette ! dit Nichelle. Les mystères sont faits pour être élucidés, tu sais.

Tori secoua la tête d'un air dubitatif.

– Je ne crois pas que ce soit vrai pour celui-ci. Elle me tuerait si j'entrais là.

En s'entendant prononcer ces mots, Tori s'étonna elle-même de son attitude timide face à tante Tessa. Elle ne se souciait généralement pas des règles. Peut-être sentait-elle que, pour la première fois de sa vie, elle avait rencontré quelqu'un de plus volontaire qu'elle. Si elle devait affronter tante Tessa, ce ne serait pas la plus âgée des deux qui céderait !

Le téléphone se mit à sonner dans la chambre de Tori. Tante Tessa l'y avait installé avant son arrivée. En partie pour se montrer aimable, pensait Tori. En partie aussi pour ne pas l'entendre papoter avec ses amies dans le salon.

Tori plongea vers le combiné.

– Allô ? lança-t-elle.

– Salut ! fit Lara. Tu étais occupée à quelque chose ?

– Oui, dans un sens. En fait, non !

Elle raconta à Lara le sauvetage de Bagel, la rencontre avec Nichelle et l'aventure du bain.

– Alors, tu risques d'être trop occupée pour qu'on fasse quelque chose demain ?

– À quoi pensais-tu ? Il vaut mieux que je ne laisse pas Bagel seul dans ma chambre trop longtemps. Pas avant qu'il y soit habitué. Mais je devrai l'y laisser toute la journée lundi.

– Je pensais à un petit tour au musée d'Art moderne.

– Ce serait chouette. Je n'ai encore vu aucun des musées de New York, à part le Metropolitan. Il va me falloir dix ans pour visiter la moitié des autres.

– J'ai une bonne raison d'y aller, expliqua Lara. J'ai un gros travail à faire pour le cours d'histoire de l'art.

– Ah oui, fit Tori. L'éblouissant et bien trop âgé monsieur Harris.

Lara ne releva pas sa remarque.

– Je dois rédiger une étude sur un artiste du XXe siècle. Il faut parler de sa vie et de son œuvre et de l'influence de l'une sur l'autre. Je veux vraiment faire un bon boulot.

– Pour impressionner l'éblouissant et bien trop âgé monsieur Harris !

Ignorant toujours le persiflage de Tori, Lara poursuivit :

– Donc, je voudrais repérer un artiste intéressant et inattendu au musée. Quelqu'un de différent, pas comme Picasso. Tout le monde choisit Picasso ! Ce sera chouette. Tu m'accompagnes ?

– Bien sûr, dit Tori. Je crois que je peux abandonner monsieur Bagel pendant deux heures. Tu veux venir au musée d'Art moderne avec Lara et moi, demain ? demanda-t-elle en se tournant vers Nichelle.

– Pas possible, dit Nichelle. Je dois assister avec ma mère à je ne sais quelle réception chic. Mon père est pris et ma mère veut être accompagnée.

La mère de Nichelle était adjointe au maire et devait souvent se rendre à des manifestations officielles. Parfois une visite à un dignitaire étranger, parfois un dîner en l'honneur de l'une ou l'autre personnalité locale. D'habitude, elle traînait son mari derrière elle. Mais, de temps à autre, son travail de médecin à l'hôpital pour enfants de Harlem lui fournissait une excuse bienvenue pour s'esquiver.

– Pas de veine, dit Tori. Je m'amuserai pour toi.

– Merci bien ! fit Nichelle.

Lara et Tori se donnèrent rendez-vous devant le musée à midi. Tori raccrocha, sans savoir que cette journée-là changerait tout.

Chapitre 7

Des voix derrière la porte

Bagel se montra sage toute la nuit. Il dormit paisiblement près du lit de Tori, roulé sur une veste d'hiver qu'elle avait étendue par terre pour lui. À 7 h, elle se leva d'un bond, redoutant soudain qu'il ne soit pas aussi « propre » qu'elle le pensait. Elle attacha sa laisse et l'emmena en bas.

Frank était de service ce matin.

– Bonjour, mademoiselle ! dit-il en bâillant. Il a meilleure allure maintenant, pas vrai ? ajouta-t-il en voyant Bagel.

Tori se contenta de sourire.

Quand elle remonta à l'appartement, tante Tessa était levée. Elle était à la cuisine, d'où s'échappait une odeur de pain grillé et de café.

– Bonjour, dit-elle.

– Hello ! répondit Tori.

– Tu veux prendre ton petit déjeuner ?

– Avec plaisir.

Tante Tessa regarda Bagel avec la même petite lueur d'amusement que Tori avait remarquée la veille. Elle commençait à croire que sa tante se dégelait.

– Pain grillé ? dit tante Tessa au chien en cassant le coin d'une tranche pour le lui tendre. Ne me mords pas ! prévint-elle.

Bagel, grâces lui en soit rendues, saisit le triangle de pain entre les doigts de Tessa aussi délicatement que possible.

– Brave bête ! fit-elle.

– Il est vraiment bien, n'est-ce pas ? dit Tori, pleine d'espoir.

– Il n'est pas mal, répliqua sèchement sa tante. Voyons comment il se conduit quand tu le laisses seul.

– Je vais commencer aujourd'hui, dit Tori. Une sorte d'essai. Je vais au musée d'Art moderne avec Lara, que tu as vue la semaine dernière.

– Je me souviens d'elle.

Tessa ne fit aucun commentaire positif sur le fait que Tori aille au musée. Elles mangèrent leur toast à la confiture en silence.

Tori passa la matinée à faire ses devoirs de français et de biologie. Son travail de bio était pénible et délicat : il lui fallait dessiner une feuille vue au microscope. Sa partenaire pour les travaux de labo, une fille nommée Francine, ne lui était d'aucune utilité. Francine s'habillait toujours en noir et portait du rouge à lèvres violet. Elle avait deux anneaux dans le nez et un total de neuf dans les oreilles. Elle ne souriait absolument jamais ; cela semblait contraire à ses convictions. Et elle ne faisait jamais ses travaux de bio non plus, ce qui signifiait que Tori devait se charger de tout. Francine était trop occupée à traîner avec ses copains mornes et endeuillés ou à écouter de la musique déprimante.

Tori était peut-être une rebelle, mais une rebelle pleine de vitalité. Elle n'avait pas beaucoup de patience pour toute cette déprime dramatisée. Elle aurait souhaité faire équipe avec Chelsie, qui était aussi dans sa classe. Mais Chelsie était associée avec un garçon nommé Arturo, qui s'habillait toujours d'un imper de poche en plastique transparent.

À 11 h 30, elle embrassa Bagel.

– Sois sage ! recommanda-t-elle. Je sors un

moment, mais je vais revenir.

Bagel remua la queue, mais il n'avait pas l'air heureux.

Lara se tenait déjà devant le musée quand Tori arriva à midi pile. Barbie était là aussi.

– Salut ! dit Tori, surprise et ravie de la voir. Que fais-tu là ?

– La même chose que toi. Je n'ai pas eu l'occasion de visiter beaucoup de musées. Alors, quand j'ai téléphoné à Lara hier soir, j'ai décidé de sauter sur l'occasion et de vous accompagner.

– Formidable ! dit Tori. Avec toi, pas de danger de succomber à l'atmosphère poussiéreuse du musée.

– Ce musée n'est pas poussiéreux du tout ! protesta Lara alors qu'elles franchissaient la porte tournante. Vous allez voir.

À l'intérieur, le grand hall grouillait de gens et bourdonnait d'activité. Deux grands escaliers roulants menaient aux galeries de l'étage et on apercevait, par les fenêtres à l'arrière, l'exposition de sculptures en plein air.

– Cet endroit est fantastique ! dit Barbie. Je suis impatiente de découvrir les tableaux.

Elles montrèrent leur carte scolaire au guichet, payèrent leur billet au tarif réduit et entrèrent.

À l'étage, elles se mirent à parcourir les salles. Il y avait tant à voir.

– Wow ! s'écrièrent-elles ensemble, en rentrant dans la salle qu'illuminaient les couleurs des *Nymphéas* de Claude Monet.

– Hum ! firent-elles dans la salle remplie des immenses tableaux dégoulinants de Jackson Pollock.

– Tu y comprends quelque chose ? demanda Tori à Lara. On dirait que quelqu'un vient de les asperger de peinture.

– Cette toile-ci s'intitule *Un*, déclara Barbie en consultant la plaque près du tableau.

– Ça ne m'aide pas beaucoup, dit Tori.

– Mais elles sont chouettes à voir, dit Lara. Pleines de mouvement et d'énergie.

– Pour moi, ce n'est quand même que du barbouillage ! insista Tori.

Lara se contenta de lever les yeux au ciel.

Elles se trouvèrent ensuite face à une grande toile de Picasso où l'image d'une femme semblait s'être brisée en mille morceaux, vus sous mille angles différents. Elle s'intitulait *Femme assise*.

– Celle-ci est jolie, dit Tori. C'est à ma portée!

Elles flânèrent ainsi quelque temps, avec Tori et Barbie à la remorque de Lara qui cherchait le peintre de ses rêves.

– Tu en fais une obsession parce que tu veux que monsieur Harris tombe à tes pieds, dit Tori. Eh bien, ça n'arrivera pas. Et d'ailleurs, tu ne désires pas vraiment que ça arrive.

– Je sais, je sais ! marmonna Lara.

Mais elle continuait à chercher le peintre de ses rêves.

Barbie s'était éloignée vers l'autre bout de la salle.

– Eh, les filles, regardez ça ! lança-t-elle en contrôlant le volume de sa voix.

Elles traversèrent la pièce pour voir ce qu'elle regardait. Devant elle, il y avait deux toiles côte à côte, plutôt petites. Mais elles étaient magnifiques.

C'étaient des paysages. Des scènes de désert, aurait-on dit, avec du sable, des cactus et des crânes d'animaux blanchis par le soleil. Pourtant, la scène ne semblait pas immobile. On aurait cru que des vagues la traversaient sans cesse, en y créant des ondulations et des remous.

Les trois filles contemplèrent longuement les toiles.

– Celle-ci est géniale, dit Tori, fixant celle qu'elle avait sous le nez.

– Pardon ? dit Lara.

– Elle est géniale ! Fantastique ! Tu ne trouves pas ?

– Si, c'est aussi mon avis, dit Lara. J'adore ces tableaux. J'ai l'impression d'avoir vu d'autres œuvres de ce peintre, mais je ne sais pas où. C'est quelque chose dans le coup de pinceau...

– Voyons qui est l'artiste, dit Barbie.

En se penchant, elle lut les petits caractères de la plaque métallique : « *T. Steinmetz, 1968, huile sur bois.* »

– C'est marrant, dit Tori. Il peignait sur du bois.

– Il ou elle, corrigea Lara. On ne sait pas qui est ce T. Steinmetz.

Quelque chose commençait à tracasser Tori, tiraillant son esprit comme Bagel tirait sur sa laisse.

« Steinmetz, Steinmetz, se disait-elle. Où ai-je vu ce nom récemment ? »

Lara décida que ce serait là le peintre de son étude, si toutefois elle trouvait des informations à son sujet.

– Passons à la boutique du musée au rez-de-chaussée avant de sortir, dit-elle à ses amies. Ils ont plein de livres d'art. J'y trouverai peut-être quelque chose.

– Bonne idée ! dit Tori.

Elle avait remarqué la boutique, à côté du hall, en entrant. Elle semblait regorger de livres et d'objets intéressants.

Elles passèrent une autre demi-heure à flâner dans le musée en s'arrêtant un moment à la galerie de photos, qu'elles adorèrent toutes les trois.

– C'est passionnant de regarder des œuvres d'art, dit Barbie alors qu'elles reprenaient l'escalier roulant vers le rez-de-chaussée. Ça vous fait penser autrement que d'habitude, vous ne trouvez pas ? Elles vous font voir les choses d'une façon nouvelle.

Ses amies lui donnèrent entièrement raison.

La boutique était une vraie caverne d'Ali Baba. Tori acheta du papier à lettres qui semblait avoir été chiffonné, pressé en boule puis déplié à nouveau. Mais ce n'était qu'un effet de trompe-l'œil. Barbie s'offrit une superbe parure de bureau en métal noir, au design futuriste, pour ses stylos et ses crayons.

Pendant ce temps, Lara fouillait la librairie, à la recherche d'informations sur T. Steinmetz.

– Tori ! Barbie ! lança-t-elle. J'ai trouvé !

Elles se rassemblèrent autour d'un énorme dictionnaire d'art moderne que Lara avait ouvert sur l'étalage. Là, sur la page de gauche, était reproduite une des deux peintures qu'elles avaient vues à l'étage.

– Il n'y a pas grand-chose, dit Lara d'un ton déçu. Attendez, je vais le lire...

En 1969, T. Steinmetz, un peintre marquant de l'Arizona, abandonna de façon brutale un parcours qui l'aurait sûrement conduit à une reconnaissance mondiale. Toutes ses toiles, à l'exception de deux, furent retirées de la circulation, rachetées par l'artiste qui cessa ensuite de peindre. Un talent prometteur était ainsi perdu pour le monde de l'art, pour des raisons non encore éclaircies par les historiens.

Elles restèrent silencieuses pendant un moment, fixant la reproduction dans le livre.

– Mince, fit Tori. Quel gâchis !

– Sale coup pour moi aussi, dit tristement Lara. Je ne trouverai pas assez d'informations ni d'œuvres pour rédiger mon travail. Mais j'adore ces toiles ! Pas de chance.

Tout à coup, Tori se rappela où elle avait vu le nom de Steinmetz. C'était sur la lettre remise à sa tante par erreur. Quelle étrange coïncidence ! Serait-il possible que sa tante connaisse l'artiste d'une façon ou d'une autre ? Tori aurait voulu le lui demander, mais n'était pas assez à l'aise avec elle pour le faire.

Lara referma l'énorme livre d'art, qui émit un son sec. Il était temps de rentrer.

Elles se séparèrent à la station de métro de Columbus Circle. Lara devait prendre une ligne vers le sud de la ville, Tori une autre et Barbie partait vers le nord. Elles avaient encore un tas de devoirs à faire avant la nouvelle semaine de cours.

Tori était impatiente de rentrer pour s'assurer que Bagel s'était bien conduit pendant son absence. C'était une sorte de test puisqu'il resterait seul toute la journée du lendemain. Elle espérait qu'il n'avait pas mâchonné ses chaussures ou, pire, le tapis de tante Tessa. Elle grimaça à cette pensée et pressa encore le pas en traversant le hall de son immeuble.

Elle allait si vite qu'elle faillit ne pas remarquer les voix provenant du fond de la pièce, derrière la porte fermée de la salle commune. C'est là que se réunissait le comité des propriétaires et locataires. L'immeuble de tante Tessa était cogéré, ce qui signifie que les gens qui y vivaient fixaient les règles régissant tout ce qui s'y passait. Le comité était composé d'une quinzaine de personnes qui édictaient ce règlement. Ils étaient élus par l'ensemble des habitants. À entendre ce qu'en disait parfois tante Tessa, Tori avait l'impression que beaucoup de gens du comité venaient aux réunions pour meubler leur ennui...

– C'est très désagréable ! clamait quelqu'un d'une voix aigre.

– Oui, et ce n'est pas acceptable. On ne peut pas laisser les gens patiner dans le hall. C'est exclu. Si on la laisse patiner dans le hall, qu'est-ce que les autres se permettront de faire ?

– Et quand ce n'est pas le patinage, c'est autre chose. Chanter ! Ou faire la roue dans les couloirs ! Et ce chien galeux qu'elle a ramené l'autre jour ? Je parie qu'il grouille de parasites.

– Cet immeuble n'admet pas les enfants, dois-je vous le rappeler, madame Livingstone ? dit une autre voix glaciale.

Tori restait clouée sur place. Elle savait qu'elle n'aurait pas dû les écouter, mais comment aurait-elle pu partir ? C'était d'elle qu'ils parlaient et tante Tessa était là ! Allaient-ils essayer de l'expulser ? Devrait-elle rentrer en Australie, alors que sa vie ici commençait à peine ? Tonnerre, sa tante devait être furieuse ! Elle se sentait déchirée entre l'envie d'espionner la suite de la réunion et celle de s'enfuir sans se retourner.

Le silence était tombé sur la salle commune.

L'angoisse torturait Tori. Puis une voix familière s'éleva, celle de sa tante.

– Si vous voulez vous en souvenir, monsieur Franklin, la règle ne s'applique qu'aux enfants de moins de douze ans. Or, Tori a quinze ans, donc bien plus que la limite. Et je vais vous dire quelque chose, à vous tous : Tori est une fille comme toutes les autres. Elle a juste du sang dans les veines, contrairement, semble-t-il, à la plupart d'entre vous. Elle a aussi un cœur qui n'est pas encore éteint. Avez-vous tous oublié comment c'était d'aimer chaque moment de votre vie, de crier de joie, de faire la roue parce que vous en étiez capables ? C'est vous qui devriez avoir honte. Vous êtes devenus vieux et barbants !

Un nouveau silence prolongé s'installa, tandis que Tori restait pétrifiée dans le hall. Cela faisait beaucoup de choses à avaler ! Le comité voulait se débarrasser d'elle. Elle en était à la fois enragée et bouleversée. Elle ne pensait pas qu'ils feraient un tel cas de son patinage. Mais sa tante, c'était renversant, l'avait défendue en disant des choses étonnantes. Tori ne s'imaginait pas qu'elle avait un tel feu en elle. Elle semblait si sévère, si sérieuse, si maussade. Mais, derrière cette façade, il y avait une autre tante Tessa. Et celle-là était une tornade humaine ! Pourquoi avait-elle caché cette part d'elle-même, se demandait Tori. Cette face-là était géniale. Elle allait leur en mettre plein les gencives. *Vas-y, tante Tessa !*

Et elle aimait Tori ! Vraiment, elle l'aimait. Tori secoua la tête d'émerveillement.

Elle se glissa jusqu'à l'ascenseur et appuya sur le bouton en espérant que personne ne sortirait de la salle commune pour l'apercevoir. Comme les portes s'ouvraient, elle se retourna juste à temps pour apercevoir le clin d'œil que lui lançait Louie.

Chapitre 8

T. Steinmetz

Bagel se montra très, très heureux de sortir de la chambre de Tori. Il n'avait rien abîmé. Il avait juste chiffonné la veste de Tori en essayant d'en faire un abri.

Elle emmena immédiatement le jeune chien à la cuisine.

– Tu dois avoir soif ? dit-elle en remplissant son bol.

Il fallait aussi lui donner à manger. Il ne restait qu'une boîte de nourriture. Elle devrait passer en acheter d'autres le lendemain. Elle voyait déjà où allait passer tout l'argent épargné lors de ses jobs de collégienne en Australie : dans l'estomac de Bagel.

En ouvrant l'armoire où elle avait rangé la

boîte, elle remarqua immédiatement quelque chose de neuf sur l'étagère du bas. C'était un grand sac de croquettes sèches. Dix kilos ! Et pas le produit économique du supermarché, mais une marque haut de gamme du magasin pour animaux.

Tori s'assit par terre en face de l'armoire, les larmes jaillissant de ses yeux. Elle était anéantie par l'émotion.

Bagel, lui, n'était pas anéanti. Il était seulement affamé et il pouvait sentir le contenu du sac de l'autre bout de la cuisine. Il se rua vers Tori, passa la langue sur son visage, puis tenta de fourrer son museau dans le sac.

Tori se releva et s'essuya les yeux avec sa manche.

– Tu es un petit veinard, lui dit-elle en remplissant son écuelle de nourriture. Regarde ce que tante Tessa t'a acheté. Je crois qu'elle t'aime bien. Peut-être même qu'elle nous aime tous les deux.

– Un peu, c'est vrai ! lança tante Tessa depuis le seuil. Mais que ça ne te monte pas à la tête.

– Tante Tessa ! cria Tori.

Elle bondit vers sa tante et lança ses bras autour d'elle. Mais Tessa n'était pas du genre à aimer les effusions. Elle se dégagea aussi rapidement que possible.

– Bagel paraissait bien seul dans ta chambre pendant ton absence, dit-elle. Alors, je l'ai laissé me suivre dans l'appartement pendant quelque temps. Il fait un compagnon assez acceptable. Et je crois qu'il plaît aussi à Waldo.

– Merci, tante Tessa !

– Ne me remercie pas tant. Ne crois surtout pas que tu dois cesser de lui chercher un autre foyer.

– Je voulais dire... murmura Tori en évitant le regard de sa tante. Merci pour tout.

– Bien ! fit tante Tessa.

Et ce fut tout.

Elles sursautèrent au bruit que produisit Bagel en remuant la queue contre la poubelle. Il fixait la table de travail où Tori, surprise de voir sa tante, avait laissé l'écuelle de nourriture.

Elles en rirent toutes les deux et Tori posa l'écuelle par terre, à la grande joie de Bagel. Il se jeta sur la nourriture comme si la fin du monde était proche.

Tori et sa tante restèrent là à le regarder, prenant plaisir à voir le petit chien manger dans une écuelle plutôt que dans une poubelle, sur un trottoir.

– Bagel n'est pas très populaire auprès du comité de l'immeuble, dit tante Tessa.

Tori garda le silence. Elle ne voulait pas avouer qu'elle avait espionné la réunion.

– Et tu ne l'es pas non plus, ajouta sèchement tante Tessa.

Tori scruta le visage de sa tante, à la recherche d'indices. Devait-elle s'excuser ? Promettre de changer ? Elle regrettait que sa tante ait dû la défendre devant ces vieux barbons pompeux. Mais elle ne regrettait pas d'être elle-même.

Son dilemme fut résolu par un bourdonnement intense qui la fit sursauter. C'était le concierge qui appelait à l'interphone, une petite boîte blanche fixée sur le mur près de l'entrée.

Tori ne savait pas s'en servir, puisque personne ne venait jamais en visite. Elle fit un pas de côté pour laisser faire sa tante. Tessa pressa le bouton du bas, le rouge.

– Oui, Louie ? dit-elle.

– Un visiteur monte chez vous ! répondit la voix crachotante de Louie.

– Qui est-ce ? demanda tante Tessa en se raidissant.

– Eh bien, madame Livingstone, il a dit que

vous l'attendiez, alors je l'ai laissé monter ! s'excusa Louie. Il connaît le numéro de votre appartement et tout.

– Je n'attendais personne, dit tante Tessa d'un ton tranchant.

– Désolé, madame. Ça ne se reproduira plus.

– Je l'espère !

La sonnette retentit à la porte. À contrecœur, tante Tessa s'en approcha. Mais elle n'ouvrit pas.

– Qui est là ? demanda-t-elle.

– Tessa, c'est Henry Abrams, dit une voix étouffée par l'épaisseur de la porte.

Tori se tenait dans la cuisine avec Bagel, sans savoir où elle devait aller. Elle fouilla sa mémoire, essayant de se rappeler où elle avait déjà entendu ce nom.

Il y eut une longue pause puis, enfin, Tessa tira le verrou, détacha la chaîne et ouvrit la porte.

– Bonjour, Henry ! dit-elle. Il y a bien longtemps qu'on ne s'est vus.

Ah, c'était ça ! Tori savait où elle avait aperçu le nom : sur l'enveloppe que tante Tessa avait refusé d'ouvrir.

– Désolé si je me suis imposé, dit Henry.

Mais je savais que tu refuserais de me recevoir si je laissais le concierge t'appeler.

– En effet, dit Tessa.

– Tu sais, nous ne pouvons pas continuer à nous éviter indéfiniment, dit Abrams.

– Pourquoi ?

– Pourquoi as-tu retourné toutes mes lettres ?

Maintenant, Tori se sentait vraiment mal à l'aise. Elle avait l'impression de les épier, là dans la cuisine. Mais si elle se montrait, ce serait une intrusion malvenue à un moment délicat. Elle décida de rester. Tante Tessa savait qu'elle était dans la cuisine. Elle pouvait lui demander d'aller dans sa chambre si elle ne voulait pas qu'elle entende la conversation.

– J'ai renvoyé tes lettres, répondit tante Tessa, parce que je sais ce que tu veux de moi. Et je ne suis pas intéressée.

– Tessa, cela va faire trente ans ! Dieu sait ce que tu as fait de toutes tes peintures, mais il est temps de les montrer au monde. Il est temps pour T. Steinmetz de sortir de sa retraite. Tu sais que ma galerie organisera au mieux l'exposition de tes œuvres. Pourquoi refuses-tu de les montrer ?

Les yeux de Tori s'écarquillèrent. Tante Tessa connaissait Steinmetz. Elle *était* Steinmetz !

– Henry, tu sais mieux que quiconque pourquoi je ne travaille plus et pourquoi mon travail ne doit pas être montré au public. Pourquoi ne me laisses-tu pas en paix ?

– Je ne peux pas. Ce serait un crime si je ne continuais pas à essayer. Et je sais aussi qu'Ernest n'aurait pas voulu ça. Il n'aurait pas voulu que tu te retires comme un ermite. Il adorait la vie. Il adorait l'art... le tien ! Que fais-tu maintenant ? Tu répares des cadres ou je ne sais quoi ? Quelle blague !

– Je *restaure* des cadres anciens, dit tante Tessa. C'est un travail important et difficile.

– Je sais que c'est important, concéda-t-il. Mais ce n'est pas le travail pour lequel tu es faite et tu le sais.

– Cette conversation est finie, dit tante Tessa. J'ai été contente de te revoir, Henry.

– Tessa, dit-il, je vais te laisser ma carte. Je veux que tu réfléchisses. Ne referme pas la porte sur ton passé. Penses-y !

– Bien, Henry, j'y penserai.

– Promis ?

– Promis.

– Alors, je peux partir un peu plus heureux. Au revoir, Tessa.

– Au revoir, Henry.

Tori entendit la porte se refermer et, une minute plus tard, elle sortit timidement de la cuisine avec Bagel sur ses talons.

– Je... Je suis désolée, tante Tessa, dit-elle. Je ne savais pas si je devais rester dans la cuisine ou...

– Oh, ce n'est rien ! dit Tessa en faisant un geste de la main.

Elle semblait fatiguée, très fatiguée et absente. Elle paraissait aussi triste qu'une grande maison désertée par les enfants et les cris, où il ne reste que de vieux rideaux flottant au vent.

Tori ne savait que dire. Elle avait trop de questions en tête. Mais pouvait-elle les poser ? Elle pensa que non.

****

Avant d'aller dormir, Tori ouvrit la lettre qui traînait sur son bureau depuis la veille. Elle était décorée de jolies pâquerettes, bien dans le goût de sa mère.

Chère Tori,

Ton père et moi sommes heureux que tu te portes bien. La maison est bien silencieuse sans toi, il faut le dire. Toutes les fleurs du printemps sont en train de s'ouvrir, celles que tu aimes tant. Nous avons acheté une nouvelle télé et l'image est très bonne. Je caresse Bungee de ta part chaque jour et je lui dis que sa maîtresse reviendra un jour.

Tu nous manques beaucoup. Fais bien attention à toi.

Gros baisers,
Maman

Chapitre 9

Tori à la rescousse

Tante Tessa se retira dans sa chambre presque immédiatement ce soir-là et n'en sortit plus. Tori, en pleine confusion, essaya en vain de se concentrer sur ses devoirs. Elle promena Bagel à 22 h et se coucha peu après.

Au matin, elle n'entendit pas sa tante. Elle devait être partie à son travail très tôt.

Tori avala un toast en guise de petit déjeuner et le fit descendre avec un verre de lait. Elle emmena Bagel faire un aller-retour jusqu'au bas d'Hudson Street. Puis elle le câlina un peu et l'enferma dans sa chambre.

– Courage, dit-elle. Je serai bientôt de retour.

À l'école, tout le monde semblait abattu ce matin. Il tombait une vilaine bruine et c'était lundi ! Même monsieur Toussaint, le prof d'anglais de la première heure, ne se montra pas aussi brillant et électrisant que d'habitude. Ils étudiaient un très long poème de Shakespeare. Il était fort difficile à comprendre et, à la fin du cours, il ne semblait pas avoir plus de sens qu'au début.

Ana Suarez, l'amie de Tori assise à côté d'elle, essayait de rester attentive. Ana adorait monsieur Toussaint, comme tous ses élèves à l'exception d'un ou deux abrutis complets. Mais Tori voyait bien que Ana devait se battre pour ne pas rêvasser.

Cinq minutes avant la fin du cours, Ana passa un billet à Tori. Il portait un dessin marrant d'un dingue frappant un ordinateur avec un marteau.

Peux-tu me rejoindre au 712 après l'école ? disait le message. *J'ai besoin d'un sérieux coup de main avec mon ordinateur. Si tu ne m'aides pas, il y aura un mort : lui ou moi !*

Tori lui lança un sourire.

– Pas de problème, ma vieille ! murmura-t-elle.

Elle avait de toute façon prévu de passer au bureau du journal.

Ana était une athlète accomplie. La course, le cyclisme et la natation étaient son domaine, pas l'informatique. Elle montrait peu de patience quand quelque chose coinçait avec les ordinateurs, au bureau du journal et du site Internet de l'école. Ana devait toujours se rendre à une séance d'entraînement ou l'autre. Alors, il lui fallait taper ses articles sportifs au plus vite et partir en courant.

Si elle décidait un jour de s'attaquer à une des machines avec un marteau, elle la réduirait en poussière en un rien de temps. Ana avait des muscles impressionnants. Tori ne s'intéressait guère aux sports organisés qui attiraient Ana. Elle-même préférait les sports extrêmes, les activités solitaires. Mais elle admirait la détermination de Ana et ses qualités athlétiques.

Après l'anglais, la journée fut plutôt morne. Français, un déjeuner pluvieux avec Lara à la cafétéria de l'école, maths, histoire, dessin, biologie et, enfin, la sonnerie de fin des cours. Tori courut au local 712, impatiente de voir ce qui s'y concoctait. Elle ne pouvait pas rester longtemps, car elle devait rentrer pour s'occuper de Bagel.

En route vers le septième étage, Tori croisa

Poogy, le responsable de l'entretien. Tout le monde aimait ce bonhomme trapu aux cheveux couleur sable. Son véritable nom était Boris Pugachev, mais personne ne l'utilisait jamais, pas même madame Simmons, la directrice du collège. Poogy venait de Russie. Il travaillait autant qu'il pouvait, rassemblant de l'argent pour faire venir sa famille. On prétendait qu'il était architecte dans son pays natal, mais personne n'en était sûr. Il avait dû recommencer au bas de l'échelle dans son pays d'adoption. Mais Poogy ne s'était pas laissé abattre. Il adorait les États-Unis et la M.I.H.S. Il connaissait le nom de la plupart des élèves, après trois semaines de cours seulement. Et il était toujours là pour prêter main-forte quand quelque chose fonctionnait mal, ce qui était courant dans ce bâtiment flambant neuf. Quand ce n'étaient pas les escaliers roulants, c'étaient les distributeurs d'eau potable ou le chauffage des toilettes.

– Poogy ! s'écria Tori en le dévisageant. J'ai une excellente idée pour vous !

– Laquelle idée ? dit Poogy avec un fort accent.

– Je sais que votre famille n'est pas encore arrivée aux États-Unis. Il vous faut quelqu'un à aimer en attendant que vos proches soient là.

Poogy eut un mouvement de recul.

– Qui est-ce ? demanda-t-il avec appréhension.

– C'est un chien ! Un mignon petit chien ! Je l'ai trouvé. Il est très amical. Et il est propre : il attend qu'on le promène pour faire sa petite commission...

– Il faire les commissions ? s'écria Poogy, stupéfait.

– Oh non, dit Tori en riant. Je veux dire pour faire ses petits besoins. Lever la patte et...

– Oh ! OK !

– OK, vous le prenez ?

– Non, OK, je compris ! Mais je pas pouvoir le prendre, Tori. Chiens pas permis où je habiter. Désolé !

Le visage de Tori s'allongea.

– Je comprends, Poogy. Ce n'est rien.

– Vous mettre des affiches, non ? Peut-être une autre personne vouloir le chien.

– C'est une bonne idée.

– Vous les faire sur l'ordinateur, oui ?

– Oui, je les ferai sur l'ordinateur !

– OK !

– OK

Tori serra la main de Poogy, puis se hâta vers le local 712. Elle pouvait commencer l'affiche tout de suite, en créer une très décorative. Ensuite, elle demanderait à Barbie ou à Lara de prendre une photo en noir et blanc de Bagel sous son meilleur angle. Elle la scannerait et l'introduirait dans l'ordinateur pour la placer au centre de l'affiche. Le résultat serait si bon qu'elle aurait un million d'amateurs, c'est sûr. Mais il faudrait choisir le meilleur maître, car Bagel le méritait.

En arrivant au local, elle vit un nouveau logo sur la porte : *M.I.H.S. Generation Beat.*

À l'intérieur, pourtant, le chaos régnait. Une douzaine de jeunes s'entassaient dans la petite pièce sans fenêtre. Ils s'agglutinaient tous autour de Chelsie Peterson. Tout le monde criait et hurlait. Et, entre tous ces jeunes gens et les ordinateurs, il faisait très chaud.

Chelsie était installée devant son écran et Tori se réjouit qu'il n'y ait pas de fenêtre. Chelsie donnait l'impression que, s'il y en avait eu une, elle aurait sauté dans le vide.

Chelsie occupait au journal le poste d'assistante du rédacteur en chef. Elle devait donc réviser tous les textes, en écrire certains et s'assurer que tout soit terminé et envoyé chez l'imprimeur dans les délais. Dans un sens, c'était le pire des emplois pour Chelsie. Elle écrivait remarquablement bien, mieux sans doute que n'importe qui au collège, mais avait une nature trop sensible. Elle n'était pas très organisée et supportait mal la pression.

À ce moment, tout le monde hurlait quelque chose à Chelsie.

– Pousse sur la touche *escape !*

– Flanque-lui un coup de poing !

– Qu'on appelle monsieur Toussaint, il saura peut-être quoi faire.

Tori lança sa mallette sur une chaise et s'avança vers son amie. Le groupe s'ouvrit pour la laisser passer. Voilà la personne qui pourrait tout arranger... peut-être ! Tout le monde savait que Tori était un as de l'informatique.

– Eh, Chelsie, qu'est-ce qui cloche ? lança Tori.

Chelsie se tourna vers elle, les yeux déjà embués de larmes. Ses longs cheveux auburn semblaient friser sous l'effet de l'énervement.

– Oh, Tori, je suis si contente de te voir ! dit-elle avec son délicieux accent anglais. Tout est fichu et c'est ma faute !

– T'en fais pas, ma vieille ! dit Tori. Ce n'est

sans doute pas ta faute et ça peut probablement s'arranger. Maintenant, dis-moi ce qui s'est passé.

Ana, qui venait d'entrer, se fraya un chemin jusqu'à Chelsie et l'embrassa par- derrière.

– Tori va tout arranger, dit-elle doucement. Tu verras.

– Je ne sais pas, larmoya Chelsie. Si je perds ce texte, je serai dans le pétrin. C'est l'article principal du journal et nous devons mettre sous presse demain matin. Même en restant debout toute la nuit, je ne crois pas que je pourrais le refaire.

Ana ravala sa salive et l'embrassa à nouveau.

– OK, Chelsie. Essaie de cliquer ici à gauche. On verra si le menu s'affiche sur l'écran, dit Tori en regardant par-dessus son épaule.

Chelsie cliqua... Rien.

– Je vois que l'écran est gelé, constata Tori.

– C'est ça le problème ! Peu importe ce que j'essaie, il ne se passe rien.

Tori se pencha pour plaquer son oreille sur l'ordinateur.

– Qu'est-ce que tu fais ? demanda Ana, tout étonnée.

– J'écoute s'il pense. Je veux savoir si le

disque dur tourne. Mais je ne crois pas. Il est bloqué. Chelsie, tu as mis ce document sur disquette ?

– Non ! gémit Chelsie. Je sais que je devrais, mais j'oublie toujours.

Tori se redressa et s'adressa au groupe de jeunes gens en transpiration.

– Hé, vous tous ! lança-t-elle. Ouvrez bien vos oreilles et tirez les leçons de cette situation horrible. Sauvegardez tout sur des disquettes. Toujours !

Tous hochèrent la tête d'un air honteux. Tori retourna à sa tâche du moment.

– Chelsie, dit-elle aussi gentiment que possible. As-tu sauvegardé ce texte à un moment ou l'autre pendant que tu y travaillais ?

– Je l'ai fait une fois. J'y ai travaillé pendant la pause de midi et je l'ai sauvegardé à ce moment-là.

– Bien, dit Tori. Alors, on roule sur des pommes.

– Pardon ?

– Oh, désolée, c'est de l'australien. Tout ira bien. Si ce document a un nom, nous pouvons le retrouver. Chelsie, éteins ton ordinateur.

– L'éteindre ? Mais tout sera perdu pour de bon.

– Non. On va simuler une panne de courant. Il sait comment réagir à une panne de courant.

– Bon, dit Chelsie en tendant un doigt tremblant vers le commutateur *on-off*. Tu dois savoir ce que tu fais.

Chelsie appuya sur le bouton en fermant les yeux. L'écran devint noir. Tout le monde retint son souffle.

– Maintenant, rallume ! ordonna Tori.

Chelsie obéit. Il y eut une série de petits bruits quand l'ordinateur se réveilla. Personne n'osait encore respirer.

Une fenêtre apparut : « *Il existe une copie de sauvegarde de ce document. Voulez-vous en changer le nom ?* »

– Voilà ton document, dit Tori. Donne-lui un nouveau nom et tu seras tirée d'affaire.

Chelsie s'effondra sur le clavier dans un geste de soulagement et tout le monde respira à nouveau.

– Je vais le nommer *Sainte Tori* ! dit-elle.

– Il vaudrait mieux choisir un nom plus raisonnable, dit Tori.

Chelsie rebaptisa le fichier et il réapparut, sain et sauf.

-- Tu es une fille super ! dit Ana.

Tori sourit intérieurement:

« Si seulement je pouvais résoudre mes propres problèmes aussi facilement ! » se dit-elle.

Chapitre 10

L'histoire de Tessa

Après avoir vérifié que tout le texte de Chelsie était bien là, Tori n'avait plus le temps de rester au local. Elle aida rapidement Ana et décida qu'elle ferait l'affiche le lendemain. Pour le moment, elle devait rentrer au plus vite et promener Bagel.

Quand elle passa la porte de l'appartement, elle réalisa immédiatement que quelque chose clochait. Mais quoi ?

Il y avait de la lumière dans le salon ! À cette heure de la journée, les lampes ne devaient pas être allumées. Sa tante ne rentrait du travail qu'aux environs de 18 h et il n'était que 16 h 30. Tori s'interrogea pour savoir si elle avait oublié d'éteindre la lumière. Non, elle ne l'avait même pas allumée.

– Ayah, ayah !

C'était Waldo qui donnait son avis. Tori ne pensait pas qu'il parlait quand il était seul. Elle décida d'entrer pour jeter un coup d'œil.

Tante Tessa était assise dans le grand fauteuil. Elle tenait un verre de vin rouge à la main, mais n'en avait rien bu. Elle regardait dans le vide. Bagel était étendu à ses pieds. En apercevant Tori, il se mit à battre le tapis de sa queue. Mais Tessa ne bougea pas.

– Tante Tessa, tu vas bien ? demanda anxieusement Tori.

Tessa sursauta. Elle était tellement perdue dans ses pensées qu'elle ne l'avait même pas entendue.

– Oui, ça va, dit-elle. Je crois. J'avais une terrible migraine, alors je suis rentrée plus tôt.

Tori l'avait déjà vue partir au travail avec la grippe. Elle savait donc qu'il fallait quelque chose de grave pour qu'elle rentre à la maison. Tessa n'était pas du genre délicat.

– Tu veux quelque chose ? demanda Tori. Du thé, peut-être ? Ou une aspirine ?

– Non merci, Tori. J'ai juste besoin de...

Sa pensée dériva à nouveau, sans qu'elle

finisse sa phrase. Tori s'assit sur le canapé. Elle savait qu'il valait mieux s'esquiver, mais elle était trop inquiète au sujet de sa tante. Tessa semblait épuisée et hagarde.

– Tante Tessa, dit Tori, puis-je demander si ceci a un rapport avec l'homme qui est venu hier ? Ce Henry Abrams ?

Sa tante soupira.

– Je suppose que oui, dit-elle. Je suppose que oui.

– Qui est-ce au juste ?

– Quelqu'un que j'ai connu il y a longtemps.

– Je l'avais compris. Mais que fait-il ?

– C'était un artiste, autrefois. Pas très doué, à vrai dire. Maintenant, il a une galerie d'art sur Madison Avenue.

– Et, dit Tori en se jetant à l'eau, il veut exposer tes œuvres.

– Oui, c'est ce qu'il veut.

– Tante Tessa, je ne savais même pas que tu étais une artiste ! Personne n'en parle dans la famille. Pourquoi ?

– Je pense qu'ils n'appréciaient pas mon style de vie. Ils ne comprenaient pas bien. Ils ne saisissaient pas pourquoi je ne rentrais pas chez nous pour travailler dans un magasin. Je crois qu'ils pensaient qu'en suivant mon propre chemin, je les trahissais.

– Je connais ça ! dit Tori avec un sourire de connivence.

Tante Tessa sourit à son tour.

– C'est sans doute pour ça qu'ils t'ont envoyée chez moi, dit-elle. Ils ne cherchent pas à te punir. Ils ne savent simplement pas quoi faire de toi. Tes parents veulent te voir heureuse, tu sais.

Tori, à sa grande irritation, sentit sa gorge se serrer.

– Tu crois ? dit-elle. Je n'ai aucune idée de ce qu'ils veulent. Et ils ne savent pas ce que je veux non plus.

– Ils ont été jeunes un jour, eux aussi. Sais-tu que ta mère a été renvoyée de l'école pour avoir dansé le french cancan dans le couloir ?

Tori éclata de rire.

– Elle ne m'a jamais dit ça ! s'exclama-t-elle. Jamais !

Tante Tessa sourit.

– Je crois qu'elle et ton père pensent que des parents doivent être sérieux. Ils veulent être les meilleurs parents possibles, je suppose.

Il y eut un silence. Puis Tori reprit :

– Et toi, tante Tessa. Tu étais peintre. Pourquoi as-tu arrêté ?

– C'est une longue histoire, dit-elle.

Dans sa cage, Waldo se dandinait d'une patte sur l'autre sur son perchoir. Tori l'observait en réfléchissant.

– Il s'agit d'Ernest, n'est-ce pas, tante Tessa ? dit-elle enfin. C'est ce qu'a dit Henry Abrams : *Ernest n'aurait pas voulu ça.* Qui était-ce ? C'est son portrait qui se trouve dans la salle à manger ?

Waldo s'excita soudain en entendant un nom qu'on ne prononçait plus depuis longtemps.

– Bonne nuit, Ernest, bonne nuit ! lança-t-il joyeusement.

Tante Tessa resta un moment sans répondre, le menton dans la main, l'index sur les lèvres. Puis elle se leva et lissa sa jupe de laine grise.

– Ce n'est pas une si longue histoire, après tout, dit-elle à Tori. Tu peux aussi bien la connaître. Suis-moi.

Avec Bagel sur les talons, elle conduisit Tori dans la salle à manger. Elles se placèrent devant le portrait de l'homme.

– Voici Ernest Steinmetz, dit-elle. C'était un sculpteur. Un très bon sculpteur. Ses œuvres se trouvent dans des musées de nombreux pays. C'était mon mari.

Les yeux de Tori s'agrandirent.

– Personne non plus ne m'a dit que tu avais été mariée ! s'exclama-t-elle.

– Parce qu'ils désapprouvaient ma façon de vivre, sans doute. Ernest et moi, nous vivions dans le désert, au sein d'une communauté d'artistes, un groupe de maisons et d'ateliers où tout le monde vivait et travaillait. L'art était notre activité, notre sujet de conversation, notre seul intérêt. Henry Abrams a vécu dans la communauté pendant quelque temps, mais il n'était pas fait pour ce genre de vie. C'était trop austère pour lui. Il lui fallait la ville et ses distractions. Un jour, Ernest se rendit à Santa Fe pour acheter du matériel. Je ne l'ai pas accompagné parce que je travaillais à un tableau qui m'enthousiasmait beaucoup. Celui-ci.

Elle fit un mouvement du bras vers le mur.

– Cette nuit-là, j'ai reçu un appel de la police, poursuivit-elle. Ernest avait eu un accident avec un camion-citerne. Je n'ai jamais bien su ce qui s'était passé. Ernest n'était pas mort, mais gravement blessé.

Tante Tessa devait faire des efforts pour

continuer à parler. Tori avait du mal à se maîtriser, elle aussi. Elle savait que si Tessa se mettait à pleurer, elle éclaterait en sanglots à son tour. Mais les yeux de Tessa restaient secs, sous l'effet de sa volonté d'acier.

– Quand ils ont eu fini de le soigner, je l'ai ramené à la maison. Il a encore vécu deux ans, mais n'a jamais pu retravailler. Moi non plus ! J'ai achevé le portrait d'Ernest et ç'a été la fin.

Nous avions un chien, un grand corniaud noir nommé Fletcher. Fletcher était le seul à pouvoir faire sourire Ernest. Six mois après le décès d'Ernest, Fletcher est mort à son tour, de vieillesse. Pour moi, c'était le point final. J'ai allumé un grand feu dans le désert et brûlé tous mes pinceaux. J'ai distribué mes tubes de peinture. J'ai réussi à racheter toutes les toiles que j'avais vendues. J'ai effacé Tessa Steinmetz de l'univers de la peinture. Puis j'ai fait mes bagages, je suis venue ici et j'ai obtenu ce poste au musée. Et ça, ma chérie, c'est la fin de l'histoire.

Tori était abasourdie. C'était l'histoire la plus triste qu'elle ait entendue, la plus terrible histoire de solitude qu'elle puisse imaginer. Elle était profondément désolée pour sa tante. Mais elle savait d'instinct que l'embrasser était la pire chose qu'elle puisse faire. Ou encore se mettre à pleurer. Tessa avait assez de mal à se contrôler sans que Tori ne l'arrose de larmes.

Tori se tourna vers le portrait d'Ernest Steinmetz. Quel bel homme ! Quelle énergie il devait avoir. Et quelle vie ! Qu'avait dit Henry Abrams ? Ernest adorait l'art... celui de Tessa. Tori comprenait qui était Ernest rien qu'en regardant son portrait.

– Tante Tessa, dit-elle dès que sa gorge se dénoua, où sont tes tableaux ?

– Je pense que tu l'as deviné, dit sa tante.

Elle avait raison, Tori le savait. Elle traversa la salle à manger, le salon et le vestibule au bout duquel se trouvaient les trois portes interdites. Bagel la suivait en aboyant et Tessa fermait la marche.

– Quelle pièce ? demanda Tori.

– Toutes les trois, dit tante Tessa. Ouvre la porte que tu veux.

Tori, le cœur battant, tourna la poignée de la première porte. Au début, elle ne distingua rien. Une odeur de moisi lui monta au visage, si intense qu'elle semblait presque palpable. La pièce était plongée dans l'obscurité. Elle chercha l'interrupteur, le trouva et l'alluma. Mais l'ampoule devait être grillée. Il ne se passa rien.

Tante Tessa se glissa dans la pièce derrière elle, s'y fraya à tâtons un passage entre les toiles, jusqu'à la fenêtre que couvrait un store opaque. Tori entendit le store s'enrouler et la lumière oblique du soleil de l'après-midi inonda la pièce.

L'air était si chargé de poussière que Tori mit un moment à s'y adapter. Puis elle commença à discerner les peintures, adossées en pile contre tous les murs. Des paysages. Des natures mortes de fruits, de légumes, de fleurs. Des portraits.

– Les autres pièces sont comme celle-ci ? demanda Tori.

– À peu près.

Tori s'agenouilla devant une des peintures. Elle était assez semblable à celles du musée d'Art moderne, mais plus grande. Elle donnait la même impression de vagues traversant le paysage. Éblouie par les splendeurs poussiéreuses qui l'entouraient, Tori réalisa que personne ne les avait vues depuis trente ans. Pas une âme. Tessa avait brutalement refermé le livre de sa vie d'artiste.

Sans voix, Tori regarda les tableaux. Il devait y en avoir une cinquantaine dans la pièce, tous plus beaux les uns que les autres. Elle aimait surtout les portraits. Ils représentaient des hommes, des femmes, quelques enfants ; parfois des personnages mexicains et Ernest, très souvent. Ces toiles montraient tant de compréhension et d'amour du modèle qu'il était difficile de croire que l'artiste était cette femme sévère et distante.

– Bon sang, tante Tessa ! s'écria Tori. C'est une honte que personne n'ait vu ces toiles pendant toutes ces années, sauf moi.

– Quand j'ai perdu Ernest, c'est comme si la lumière s'était éteinte sur ma vie. On ne peut pas peindre sans lumière, tu sais. Alors c'est fini.

– Mais tante Tessa, pourquoi ? Tu vas encore vivre longtemps et tu es un si grand peintre ! Henry Abrams a raison. Tu n'es pas faite pour passer ton temps dans un petit atelier du musée, à réparer de vieux cadres. Tu es faite pour peindre !

Tante Tessa garda le silence et ce silence augmenta la frustration de Tori. Elle commençait à se fâcher.

– Tu sais ce que je pense, tante Tessa ? lança-t-elle en se levant d'un bond. Tu es comme moi. Tout ou rien, voilà notre devise. À ma façon ou pas du tout. Si je n'aime pas les règles, tant pis. Zut à tout le monde. Et quand tu n'aimes pas les règles, tante Tessa, tu dis aussi zut à tout le monde. Mais tu sais ce que je pense ? Parfois les règles sont stupides, comme *défense de patiner dans le hall*. Et parfois, les règles sont horribles, comme *ceux qu'on aime doivent mourir un jour*. Ce n'est pas juste, mais c'est ainsi. Si je patine dans le hall, ça te blesse. Et si tu arrêtes de peindre... ça te blesse, toi, et aussi tout le monde. Alors je vais te proposer un pacte : je ne patine plus dans le hall et toi, tu redeviens T. Steinmetz. D'accord ?

Tessa ne répondit pas. Tori n'était plus fâchée, elle redoutait seulement d'avoir tout gâché envers sa tante. Quel droit avait-elle de faire la leçon à une femme quatre fois plus âgée qu'elle ? Qu'avait-elle connu dans sa vie qui soit un millionième de fois aussi pénible que ce que Tessa avait enduré ?

Tante Tessa sourit.

– Tu es une fille futée, ma nièce, dit-elle. Va donc me chercher la carte d'Henry Abrams.

Chapitre 11

Tout le monde gagne

L'exposition T. Steinmetz s'ouvrit à la galerie Henry Abrams juste après le nouvel an. Madison Avenue, qui abrite quelques-unes des galeries et boutiques les plus huppées de la planète, était encore illuminée comme à Noël et étincelait comme une rivière de diamants.

Tori avait reçu l'autorisation d'inviter qui elle voulait au vernissage. Toutes ses meilleures amies étaient là : Barbie, Nichelle, Ana, Chelsie et, bien sûr, Lara. Elle avait renoncé à inviter le duo « Pantalon », pensant qu'ils ne passeraient pas l'examen, question habillement. Les filles étaient rassemblées, tenant des verres à cocktail remplis de limonade et essayant de ne pas paraître stupides parmi ce brillant parterre de célébrités venues au vernissage le plus attendu de l'année.

– Regarde, voilà Madonna ! chuchota Ana en décochant à Tori un violent coup de coude dans les côtes. Enfin, je crois... De quelle couleur sont ses cheveux cette semaine ?

– Attends, je suis en train d'observer ces deux femmes là-bas, répondit Tori. Elles doivent être mannequins ou quelque chose du genre. Tu as déjà vu des femmes aussi grandes ?

Elle-même se sentait bien plus grande qu'il ne fallait, perchée sur des talons inconfortablement hauts et portant une petite robe noire empruntée à Barbie.

Un peu plus loin, un journaliste de la télé locale interviewait tante Tessa. Le preneur de son tenait le micro au bout d'une longue perche. Le micro était entouré d'une sorte de fourrure pour assourdir le bruit. Tante Tessa était éblouissante dans sa longue robe de soie bleu nuit, avec aux oreilles des boucles incrustées de diamants. La maison Tiffany les avait prêtées pour la soirée, juste pour qu'un tas de gens les voient aux informations.

– Madame Steinmetz, disait le journaliste, qu'est-ce qui vous a décidée à montrer vos œuvres au public après toutes ces années ?

Tante Tessa afficha un sourire radieux.

– Parfois, les gens changent d'avis tout seuls, dit-elle. Et parfois, les gens ont besoin d'autres personnes pour changer d'avis.

En disant ces mots, elle regarda droit vers Tori. Lui avait-elle adressé un furtif clin d'œil ou était-ce une illusion ?

Henry Abrams vint vers Tori, un verre de vermouth à la main. Il trinqua avec elle.

– Je ne croyais plus vivre ce jour, dit-il. Et, sans l'intervention d'une petite touche-à-tout australienne, il ne serait pas arrivé.

– Regardez tante Tessa, dit Tori. Comme elle a l'air heureuse !

– Elle n'a plus eu l'air aussi heureuse depuis trente ans. Je ne sais pas ce que tu lui as fait, mais le médicament était bon.

– Je l'ai juste ennuyée à mort ! répondit Tori.

Ils rirent tous les deux.

Quand l'interview pour la télé fut terminée, tante Tessa vint voir comment allaient Tori et ses amies.

– Vous avez assez mangé ? demanda-t-elle au groupe de filles. Les champignons farcis sont excellents. Mais je me méfierais de ces horribles petites saucisses.

– Je les trouve super ! dit Tori en enfournant le dernier tronçon dans sa bouche.

Tante Tessa se tourna vers Lara et l'embrassa.

– Comment t'en es-tu sortie avec ton travail, ma chérie ? demanda-t-elle.

Lara et elle étaient devenues de grandes amies, c'était évident.

– C'était magnifique, dit Lara. Je vous le montrerai quand monsieur Harris me le rendra. Je ne pourrai jamais assez vous remercier pour l'interview.

Non seulement elle avait obtenu une interview exclusive de T. Steinmetz, mais elle avait pu voir les toiles avant n'importe qui d'autre, Tori mise à part. Si ça n'éblouissait pas monsieur Harris, rien ne le ferait.

– Tu sais à quoi je pense, Lara, dit Chelsie. Pourquoi ne publies-tu pas cet article sur notre site ? Ça rendrait la M.I.H.S. célèbre. Et ça te rendrait célèbre, toi !

– C'est une idée fantastique, dit Tori. Je m'occuperai du graphisme.

– Madame Steinmetz, intervint Nichelle, je dois vous dire combien j'aime vos tableaux. Je suis si contente d'être à ce vernissage !

– Merci, ma chère, dit tante Tessa. Tu sais,

j'ai pensé à refaire quelques portraits. Je ne sais même pas ce que je vaux encore comme peintre. Mais il me faudra un modèle et j'ai pensé à toi. Tu as un très beau visage. Et je crois qu'il t'est déjà arrivé de poser, n'est-ce pas ?

– Oh oui ! dit Nichelle en contenant difficilement son enthousiasme. Je sais rester immobile et suivre les instructions et tout ça.

– Nous en reparlerons au calme, dit Tessa. Peut-être pourra-t-on en faire un petit emploi rémunéré après l'école.

Nichelle semblait sur le point de s'évanouir.

– Psst, regarde ! glissa Chelsie dans l'oreille de Tori.

Elle indiqua la porte, que monsieur Harris venait de franchir avec une jolie rousse au bras. En apercevant les filles, il leur fit un signe et entraîna sa compagne vers le groupe. Tori le présenta à sa tante et il dit à Tessa combien il était heureux de la rencontrer.

– Et c'était très gentil à vous de laisser Lara vous interviewer, dit-il. Elle a rédigé une remarquable étude. Tu obtiens un A +, bien sûr ! ajouta-t-il en se tournant vers Lara.

– Je l'ai lue avec beaucoup de plaisir, moi aussi, intervint la rousse. C'est très bon !

– Oh, pardon. J'oublie de vous présenter ma tendre moitié, dit monsieur Harris. Voici ma femme, Rosalynn.

La femme de monsieur Harris afficha un charmant sourire. Lara répondit par un sourire moins enthousiaste.

Le couple retourna à sa conversation avec tante Tessa, et Tori se pencha pour murmurer à l'oreille de Lara.

– Et voilà. Un de perdu, dix de retrouvés ! dit-elle.

– Dix de retrouvés ! répéta Lara. Au moins, j'ai un A +.

Elle réussit même à esquisser un faible sourire.

Pendant des heures, la galerie resta encombrée d'amateurs de vernissages. Les filles restèrent aussi, absorbant l'art, le glamour et les petites saucisses.

– Voilà pourquoi j'aime New York, dit Barbie en balayant la scène d'un geste, un champignon farci à la main. On ne voit pas ça ailleurs.

Enfin, vers 1 h du matin, la foule commença à se clairsemer. À ce moment, Tori et ses amies étaient assises sur le tapis de l'escalier circulaire menant aux pièces privées de l'étage. Toutes s'étaient débarrassées de leurs hauts talons inconfortables.

– Je suis morte, dit Ana. Une chance que je n'aie pas de course ce week-end.

– Et une chance qu'on n'ait pas de cours demain, ajouta Chelsie.

Tante Tessa s'avança dans le hall, son manteau sur le bras.

– Je pensais bien vous trouver ici, dit-elle. Je vais vous offrir à toutes le taxi jusqu'à la maison. Vous paraissez épuisées. Et d'ailleurs, je dois rentrer moi aussi. Après tout, notre nouveau chien, Bagel, est seul depuis bien longtemps. Tu ne crois pas, Tori ?

Elle répondit par un sourire.

****

Tori avait une dernière chose à faire avant de se coucher ce soir-là. Elle prit une carte postale de la statue de la Liberté dans le tiroir de son bureau. Puis elle ôta le capuchon de son stylo et sourit.

Chers Maman et Papa,

Les choses à New York s'améliorent sans cesse. J'apprends beaucoup et nous nous entendons à merveille, tante Tessa et moi. Je suis impatiente de rentrer cet été, même si ce sera l'hiver chez nous. J'ai tant de choses à raconter...

Bons baisers,

Tori

TOURNE LA PAGE POUR
DÉCOUVRIR LE DERNIER
REPORTAGE DU JOURNAL
GENERATION BEAT

LE NOMBRE D'ANIMAUX ABANDONNÉS AUGMENTE

New York est plein de chats et de chiens abandonnés par leurs compagnons humains. Ces animaux sont parfois très maigres et souvent malades.

Tori Burns, une élève de la Manhattan International High School, a récemment trouvé un chien errant sur la 15e Rue.

« Bagel est un chien fantastique, dit-elle. Mais je trouve criminel d'abandonner ainsi une pauvre créature sans défense en pleine rue. Si je n'avais pas recueilli Bagel, qui sait ce qui lui serait arrivé ? »

Un vétérinaire d'une clinique pour animaux dit que le problème s'aggrave quand on offre des chats ou des chiens comme cadeau. D'abord, les gens acceptent les animaux, puis ils réalisent qu'ils ne peuvent pas s'en occuper.

Donc, si vous pensez demander un chien ou un chat pour les vacances, soyez sûr que vous pourrez lui donner l'amour et les soins qu'il demande.

Rassembler des informations

Quand tu écris un article, souviens-toi bien que ton but est d'informer le lecteur. Après l'avoir lu, il doit avoir appris quelque chose. Pour devenir un bon journaliste, il faut savoir jouer au détective. Ton rôle consiste à trouver un bon sujet d'article, à faire des recherches et à mettre de l'ordre dans les informations. Quand tu auras fait cela, le travail d'écriture te semblera facile !

Pour écrire un article d'actualité :

* *Cherche une idée*

Tu peux entendre quelqu'un évoquer un problème, lire un article dans un magazine, voir un reportage à la télé. Si tu penses que le sujet intéressera d'autres personnes, tu peux passer à l'étape suivante.

* *Fais des recherches*

L'auteur de l'article sur les animaux abandonnés a parlé à Tori Burns et à un vétérinaire.

Ce que tout journaliste doit savoir : Comme reporter, utilise tes yeux et tes oreilles. Tout ce que tu vois et entends peut servir à rédiger l'article. Ne crains pas de poser des questions. N'hésite pas à faire des recherches à la bibliothèque ou sur Internet. Au cours de tes recherches, rédige soigneusement tes notes.

** Relis tes notes*

Réfléchis bien à l'idée générale que tu essaies de faire passer. L'auteur de l'article dans *Generation Beat* a réalisé que l'abandon d'animaux constituait un problème à New York et qu'il avait tendance à s'aggraver pendant les vacances. Ceci constitue l'idée maîtresse de son article.

** Écris l'article*

Veille à fournir la réponse aux questions suivantes : Qui, quoi, quand, où, pourquoi et comment ?

** Demande à des amis de lire ton article*

Ont-ils appris quelque chose sur le sujet choisi ?

Amuse-toi ! Et rappelle-toi ce que dit toujours monsieur Toussaint :

ÉCRITURE = HONNÊTETÉ = VÉRITÉ

Ne manque pas le troisième volume de cette collection *Génération Filles :*
Au-delà des limites

Ana s'entraîne pour la plus exigeante des compétitions sportives : le triathlon. Elle nage, pédale et court comme si sa vie en dépendait. Mais elle doit affronter une épreuve plus difficile encore quand Clarisse, sa prétentieuse coéquipière, la pousse jusqu'à ses ultimes limites...

Sont parus dans cette collection :

1. New York, nous voici !
2. Le Mystère des portes closes
3. Au-delà des limites
4. Que le spectacle commence!